TEXTE ET ILLUSTRATIONS
GILBERT LEGAY

ATLAS
DES INDIENS
D'AMÉRIQUE DU NORD

casterman

"QUEL CHEMIN TOI ET MOI !"

CROW.

"**O**ù sont les Pequots aujourd'hui ? Où sont les Narragansetts, les Mohawks, les Pokanokets et toutes les tribus autrefois puissantes ? Elles ont disparu devant la rapacité et l'oppression de l'homme blanc comme la neige au soleil d'été."

La plainte dramatique du grand chef shawnee Tecumseh se lève au moment où une jeune nation, les Etats-Unis, se lance à la conquête de l'Ouest, à l'entrée du XIXᵉ siècle. Qui, en notre fin de siècle, connaît les tribus évoquées par Tecumseh ? Elles restent les fantômes d'une Histoire transfigurée par le mythe.

L'Amérique indienne se regarde souvent à travers le prisme déformant du western, de la bande dessinée ou d'une littérature pressée, autant de médias peu enclins à dépasser les stéréotypes habituels. L'ouvrage de Gilbert Legay va à l'encontre des idées reçues, il évite la facilité des raccourcis rapides parce qu'il présente le monde indien dans sa diversité et sa complexité. L'auteur a pris le parti de suivre le découpage en aires culturelles élaboré par les anthropologues américains ; les Français ne sont pas familiers de cette présentation. Pourtant, elle offre l'avantage de situer les ethnies dans un cadre géographique qui permet de mieux comprendre leur immersion dans le milieu naturel. Une idée que souligne le baptême de chaque aire culturelle par un animal hautement symbolique, tant pour les Indiens que pour nous-mêmes. Pouvons-nous dissocier l'Indien du bison ou du castor ?

Un autre intérêt de cet atlas est le rapport entre l'image et le texte. L'illustration, s'inspirant de documents ethnographiques de première importance, nous donne à voir l'Amérique indienne au temps de sa splendeur, dans la richesse de ses multiples communautés dont une histoire sans pitié et sans remords a souvent effacé toute trace. Textes et images renvoient à une réflexion sur le destin des Indiens sur un continent où leur faible nombre — trois millions d'Indiens aujourd'hui au Canada et aux Etats-Unis — est sans commune mesure avec leur influence dans notre culture contemporaine.

Dans le film *Danse avec les loups*, le chaman Sioux Oiseau Bondissant, heureux de pouvoir dialoguer avec le lieutenant John Dunbar, devenu un Sioux, heureux de leur amitié, lui livre une confidence : "Quel chemin Toi et Moi !" En ces quelques mots se trouve condensée toute la difficulté des hommes à se comprendre, des cultures à s'écouter. Voici un guide pour le chemin... ▲

Philippe Jacquin.

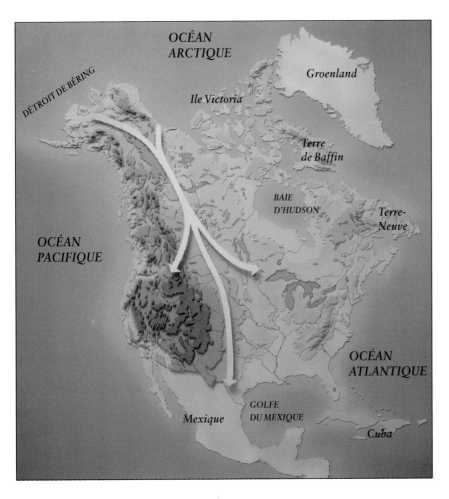

Quand ils parlaient d'eux-mêmes, ils disaient :

LE PEUPLE... LES HOMMES...

LES HOMMES VRAIS...

LES HOMMES DES NUAGES...

LES HOMMES DE L'EAU BLEUE...

LE PEUPLE DE L'OISEAU...

Ce sont des chasseurs venus de Sibérie qui peuplèrent le continent américain. Profitant de conditions favorables nées des mouvements de la dernière glaciation, ils passèrent l'actuel détroit de Béring sur un pont de glace. Deux périodes particulièrement favorables auraient eu lieu entre 34 000 et 30 000, puis 24 000 et 10 000 av. J.-C. Ces datations restent approximatives et, demain, de nouvelles découvertes peuvent apporter la preuve d'un peuplement plus ancien, hypothèse que certains spécialistes n'écartent pas.

AVANT-PROPOS

Ils vivaient dans un espace immense, vénéraient le soleil et craignaient le tonnerre.

Ils cherchaient l'harmonie avec la nature, respectant les plantes et les animaux.

Ils honoraient la terre et furent vaincus par d'autres qui ne voulaient que la posséder.

Ils étaient courageux et même l'Histoire ne sut leur donner un nom digne d'eux :

Peaux-Rouges, pour ces hommes à peau brune,

Indiens, en référence à une terre qui n'était pas la leur et à un navigateur qui ne fut pas le premier.

Ils étaient dignes de respect et furent traités comme des sauvages par des envahisseurs qui amenèrent avec eux guerres, maladies, violence et cupidité.

Même ceux qui venaient prêcher l'amour du prochain s'en mêlèrent : pour des centaines de prêtres-martyrs, combien de moines-soldats, combien de puritains et autres fous de Dieu chassant l'Indien comme on chasse une mauvaise pensée ?

Seules quelques voix s'élevèrent pour protester, s'opposer au nom du bien et de la justice.

Seuls quelques exemples laissent à rêver que l'Histoire aurait pu s'écrire autrement :

Les colons suédois qui vécurent en bonnes relations avec leurs voisins indiens,

Les quakers de William Penn qui vinrent avec des idées de paix, conscients d'empiéter sur le domaine d'autres hommes,

Les pionniers et coureurs des bois de la Nouvelle-France qui eurent avec les Indiens des relations souvent fraternelles, partageant leur vie et épousant leurs filles,

Trop rares exemples, frêles esquifs d'humanité dérivant sur un torrent de larmes et de sang.

Ce livre a pour ambition d'initier le lecteur au monde des Indiens, à partir des dix régions définies par les scientifiques et qui partagent le continent en biotopes et modes de vie. Dans chaque région, les tribus les plus importantes sont présentées à travers quelques traits essentiels (origine ou signification de leur nom, famille linguistique, localisation géographique, particularités culturelles, faits importants de leur histoire, état actuel de la tribu). En s'inspirant des témoignages de peintres, de dessinateurs ou de photographes, des re-créations permettent une visualisation homogène de ces peuples, parallèlement à la présentation de quelques éléments de leur environnement (type d'habitat, animaux, plantes). En privilégiant le critère géographique, cet ouvrage est par définition incomplet ; il ne fait qu'effleurer certains aspects du monde des Indiens nord-américains : leurs langues, leurs croyances, leur organisation tribale ou familiale, leurs armes, leurs techniques de chasse et de pêche, le rôle des femmes, l'artisanat. Autant de sujets que les lecteurs passionnés pourront découvrir dans d'autres ouvrages en passant de l'anecdote à l'Histoire, du pittoresque à l'ethnologie, des coiffures de plumes à la grande aventure des hommes. ▲

Le continent nord-américain a été divisé par les anthropologues en dix régions correspondant chacune à un biotope, où les Indiens partageaient des conditions de vie dont les dominantes étaient pratiquement identiques : climat, environnement, flore, faune...

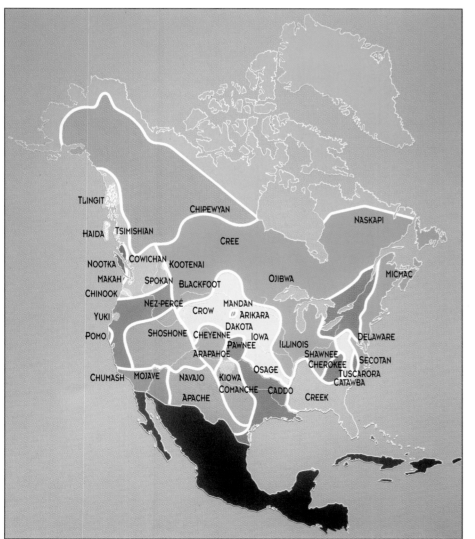

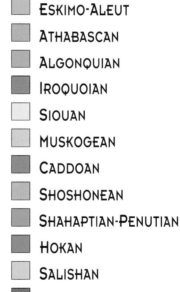

ESKIMO-ALEUT

ATHABASCAN

ALGONQUIAN

IROQUOIAN

SIOUAN

MUSKOGEAN

CADDOAN

SHOSHONEAN

SHAHAPTIAN-PENUTIAN

HOKAN

SALISHAN

WAKASHAN

Cette carte représente la répartition simplifiée des 12 grandes familles linguistiques qui se partageaient l'Amérique du Nord. Chaque famille regroupait plusieurs langues ayant elles-mêmes de nombreux dérivés, chaque tribu définissant au fil du temps sa propre identité linguistique. On estime que près d'un millier de langages étaient parlés à l'arrivée des Blancs, mais seuls 221 d'entre eux ont été identifiés. Quelques noms de tribus sont mentionnés à titre indicatif. Les zones grisées correspondent aux 7 principaux isolats.

LE SUD-EST

LES HOMMES DE L'ALLIGATOR

Dès que fut terminé l'épisode des découvertes s'ouvrit l'ère des explorations et des conquêtes. S'implantant dans les Antilles, les Espagnols lancèrent leurs capitaines à l'assaut des terres nouvelles. En quelques dizaines d'années, le golfe du Mexique devint une mer espagnole et des expéditions partirent vers l'ouest et le sud. L'étroitesse du nouveau continent s'imposait toujours dans les esprits et la découverte de l'océan Pacifique par Balboa (1513) ne fit que renforcer cette idée. La recherche de l'hypothétique passage vers les Indes Orientales, l'attrait des richesses et le goût de la conquête exaltèrent l'ardeur des Espagnols.

Le Nord semblait moins prometteur de trésors et de gloire. Il ne fut l'objet, dans une première phase, que de petites expéditions. Le premier à se lancer fut Ponce de Léon : abordant le continent le 27 mars 1513, il s'engagea dans une nature luxuriante. Mais ce n'était pas l'attrait de ces paysages inconnus qui poussait le vieux soldat. Ce n'était pas non plus pour la gloire du roi d'Espagne qu'il bravait le danger : venant d'épouser une jeune et jolie femme, son objectif était de découvrir la source de jouvence dont on parlait dans les légendes de marins. Il comptait sur les bienfaits de cette eau pour retrouver une juvénile ardeur...

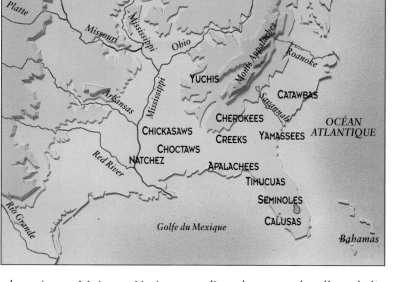

Lors d'un premier voyage, les Espagnols tuèrent quelques Calusas ; au terme d'un deuxième, huit ans plus tard, ce furent les Indiens qui exterminèrent la presque totalité de l'expédition. Ponce de Léon lui-même, atteint par une flèche, mourut des suites de sa blessure à son retour à Cuba. Il n'avait pas trouvé la source recherchée et les Indiens, désormais, allaient s'opposer à toutes les incursions espagnoles. Successivement, et avec des effectifs de plus en plus importants, Vasquez de Ayllon, Panfilo de Narvaez, Hernando de Soto aborderont la Floride et tenteront de se frayer un chemin à grands coups d'épée. Tous les trois y laisseront leur vie. Des récits des survivants, les Espagnols tireront un enseignement : il existe au nord de vastes territoires, peuplés d'hommes courageux, qui seront très difficiles à soumettre. Les Espagnols abandonneront momentanément leurs projets de conquête de la Floride. Mais dès la seconde partie du XVIe siècle, des velléités d'implantation française et anglaise obligeront la puissance ibérique à réagir, afin de préserver une région qu'elle considère comme incluse dans sa zone d'influence. Espagne, France, Angleterre s'opposeront, le plus souvent par l'intermédiaire des Indiens que chaque grande puissance gagnera à sa cause. En moins de deux siècles, guerres incessantes et épidémies scelleront le destin des grandes nations indiennes voisines de l'Atlantique.

La région du Sud-Est comprend la Louisiane, le Mississippi, l'Alabama, le Tennessee, la Floride, la Géorgie, la Caroline du Sud, une partie importante de la Caroline du Nord et des deux Virginie, soit tous les Etats situés au sud d'une large courbe allant de l'embouchure du Rio Bravo au détroit de Pamlico. Avant l'arrivée des Européens, les Indiens de la région vivaient sans difficulté, proches de la nature sous un climat humide et doux. Leur population est évaluée à plus d'un million d'individus au début du XVIe siècle. ▲

L'alligator est le plus grand reptile du continent nord-américain. Hôte des lacs, des rivières, des bayous et des marais saumâtres, il est particulièrement présent dans les Everglades de Floride et à l'embouchure du Mississippi. Les Indiens ne craignaient pas de l'affronter.

D'après une description de Fontaneda, vers 1650.

LES CALUSAS

◆ D'après Hernando Fontaneda, qui fut leur prisonnier pendant plusieurs années, leur nom signifiait "peuple farouche", à moins qu'il ne s'agisse d'une corruption de *Carlos* (Charles-Quint).

◆ Langue : muskogean.

◆ Sud de la Floride.

◆ Des fouilles archéologiques semblent indiquer que leurs ancêtres peuplaient la région environ 1 400 ans av. J.-C. Habiles sculpteurs du bois, les Calusas étaient cultivateurs et pêcheurs. Par voie de mer, ils commerçaient avec Cuba et, peut-être, le Yucatán. Ils pratiquaient des sacrifices humains.

◆ Leur flotte de 80 canots chassa Ponce de Léon en 1513. Malgré tout, les Espagnols s'implantèrent en Floride à la fin du siècle.

◆ Population estimée à 3 000 en 1650. Un siècle plus tard, quelques survivants se joignent aux Seminoles, d'autres fuient vers Cuba.

D es conflits mineurs opposaient fréquemment ces peuples, autant par goût du combat que pour préserver leurs territoires de chasse. La décision de déclencher une opération était toujours longuement discutée par une assemblée de sages réunis autour du chef de la communauté. Si l'option belliqueuse l'emportait, un chef de guerre était désigné dont la tâche première consistait à exalter le courage des hommes. Ensuite commençaient les préparatifs rituels qui pouvaient durer plusieurs jours et constituaient une mise en condition physique et morale jugée indispensable. Les hommes ne devaient plus avoir de contact avec les femmes et s'astreignaient à un jeûne absolu avec prises de potions vomitives à base de plantes. Cette recherche de pureté s'accompagnait de danses et de récits relatant les exploits des anciens. Un festin clôturait ces préparatifs où étaient servies des viandes d'animaux réputés pour leur courage (cerf) ou leur fidélité (chien). Ultime précaution, les augures étaient consultés ; s'ils étaient défavorables, l'entreprise s'arrêtait, sinon les guerriers partaient, peints de rouge et de noir, couleurs de guerre et de mort. L'engagement était bref : tuer, scalper, enlever des prisonniers, "signer" le raid et repartir, triomphant, vers ses bases. Le retour des guerriers victorieux était célébré par de nouvelles cérémonies pendant plusieurs jours. Ce n'est qu'à leur terme que se décidait le sort des prisonniers : adoption, esclavage ou mise à mort.

Pour se tenir à l'abri des raids ennemis, les villages étaient entourés de palissades et souvent pourvus d'une tour de guet. Chaque village s'organisait autour des centres principaux d'activité : la maison du conseil, le lieu de rassemblement des anciens, l'aire où les jeunes s'exerçaient aux armes de trait et où avaient lieu les parties du jeu de lacrosse. Ce "sport" collectif était pratiqué par les Indiens du Sud-Est avec une violence particulière. C'est là que se forgeait le tempérament des futurs guerriers. Si ces peuples s'affrontaient, ils le faisaient au nom de leurs traditions guerrières, prompts à saisir au vol tout sujet de désaccord ou atteinte à leur fierté. Ils n'en possédaient pas moins une grande similitude de culture et de mode de vie. Etablis dans une région hospitalière et habiles cultivateurs, ils faisaient face sans difficulté aux besoins alimentaires de leurs communautés (culture de maïs, de courges, de tournesol), les animaux étaient nombreux et les Indiens ne manquaient pas d'ingéniosité pour les chasser. Selon le témoignage de Jacques Le Moyne, dessinateur et cartographe français qui séjourna en Floride vers 1565, les Indiens se dissimulaient sous des peaux pour approcher leur gibier préféré, le cerf, ou piégeaient l'alligator en enfonçant une longue perche épointée dans la gueule du reptile. Pour le petit gibier ou les oiseaux, les Cherokees utilisaient des sarbacanes capables de propulser à plus de vingt mètres des projectiles meurtriers. Tous ces Indiens se distinguaient par une grande connaissance des propriétés médicinales des plantes. Les Cherokees et les Chickasaws mettaient à profit les propriétés stupéfiantes des plantes contenant de la saponine pour réussir sans fatigue — et sans miracle ! — des pêches abondantes. ▲

Plante de la famille des sapindacées, le savonnier pousse dans les zones subtropicales des Etats-Unis. Sa douzaine d'espèces contient de la saponine. Utilisée comme détergent naturel, cette substance moussante provoque également un effet stupéfiant chez les poissons qui sont friands des graines du savonnier. Aussi les Indiens s'en servaient-ils pour pêcher sans peine dans les étangs et les lacs.

Le dindon (Meleagis gallopavo)
*vivait à l'état sauvage dans tout le Sud-Est.
Il était pour les Indiens un gibier abondant,
mais certaines tribus, le jugeant stupide
et peureux, refusaient de consommer sa chair
par crainte d'hériter de ses défauts.*

LES TIMUCUAS

♦ Connus aussi sous le nom de *Utina*, "chef". Timucua signifierait "souverain" ou "maître".

♦ Langue : muskogean.

♦ Nord de la Floride.

♦ Cultivateurs, chasseurs et pêcheurs, les Timucuas vivaient dans des maisons rondes regroupées en villages fortifiés. Très habiles marins, ils commerçaient avec Cuba.

♦ Rencontrés successivement par Ponce de Léon (1513), Narvaez (1528), de Soto (1539) et Ribault (1562). Les Espagnols supplantèrent les Français et christianisèrent les Timucuas, avant que ceux-ci ne soient décimés par les Creeks, les Yuchis et les Catawbas, aidés par les Anglais.

♦ 13 000 vers 1650, les Timucuas n'existaient plus un siècle plus tard.

D'après John White, vers 1650.

LES APALACHEES

♦ Du choctaw *Apalachi* : "peuple de l'autre côté" (de la rivière Alabama).

♦ Langue : muskogean.

♦ Nord-ouest de la Floride.

♦ Seraient venus vers le XIVᵉ siècle de l'ouest du Mississippi, amenant avec eux la tradition des temples bâtis sur des tertres. Redoutables guerriers, ils étaient aussi pêcheurs, chasseurs et cultivateurs. Ils commerçaient avec les Timucuas.

♦ Convertis par les missionnaires espagnols au XVIIᵉ siècle, les Apalachees furent victimes des Creeks et des colons anglais (1703). Les survivants soutiendront la révolte des Yamassees (1715).

♦ Au début du XIXᵉ siècle, la nation apalachee n'existe plus.

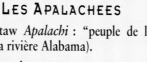

D'après une gravure du XVIIᵉ siècle.

D'après une gravure du XVIᵉ siècle.

LES NATCHEZ

♦ Etymologie incertaine. Leur nom pourrait signifier : "guerriers de la grande falaise".

♦ Langue : muskogean.

♦ Peuplaient les abords du Mississippi.

♦ Outre leurs qualités de tisserands, les Natchez se distinguaient par une organisation tribale théocratique, centrée autour d'un monarque autoritaire, le Grand Soleil. Les relations sociales obéissaient à une stricte hiérarchie.

♦ Constituaient la plus importante tribu de la région. Ils furent pratiquement anéantis en 1729-1730, lors de leur révolte contre les Français. Les survivants se dispersèrent dans des tribus voisines, d'autres furent envoyés comme esclaves à Saint-Domingue.

♦ Population estimée à 4 500 en 1650.

AGRICULTEURS DU MISSISSIPPI

D'après une gravure du XVIIᵉ siècle.

Comme chez tous les Indiens, les rôles respectifs des hommes et des femmes étaient parfaitement définis. Les hommes chassaient, pêchaient, défrichaient les terres à cultiver, construisaient maisons et palissades, fabriquaient armes et canots ; les femmes plantaient et récoltaient, cuisinaient et prenaient en charge les travaux de poterie, de vannerie, de tannage, de couture.

Parce que la famille constituait l'unité de base des sociétés indiennes, l'union de deux êtres était un événement important qui ne pouvait se conclure qu'au terme d'une série d'étapes convenues. C'est une tante du garçon qui avait mission d'informer la jeune fille. Celle-ci devait un certain jour prévu, mettre en évidence devant sa maison un bol de *hominy*. Le garçon venait alors solliciter la faveur de manger cette préparation de maïs ; en l'y autorisant, la jeune fille signifiait l'acceptation de sa demande. Dans le cas le plus heureux, la famille du futur préparait les cadeaux et les jeunes gens pouvaient vivre comme mari et femme, sous un nouveau toit. Si un an plus tard ils vivaient toujours ensemble, le mariage était considéré alors comme définitivement conclu.

D'autres conventions régissaient la vie des Indiens du Sud-Est : la bigamie était autorisée, mais il s'agissait le plus souvent de la sœur de la première femme, ce qui constituait un gage de bonne entente. Une veuve devait attendre quatre ans avant de convoler à nouveau, sauf si elle se remariait avec un proche parent de son défunt mari ; les périodes de menstruation et de grossesse s'accompagnaient de contraintes et d'interdits. A l'exception des Natchez et des Timucuas dont les sociétés monarchiques dépendaient d'une transmission héréditaire du pouvoir, les tribus du Sud-Est fonctionnaient selon des principes "démocratiques", autour d'un système coutumier basé sur la filiation par les femmes. Les chefs étaient choisis pour leur sagesse : ils conduisaient les cérémonies mais leur poids politique se limitait à diriger les débats du conseil en assumant un rôle de conciliateur suprême. ▲

LES CREEKS

♦ De l'anglais *creek*, car ils vivaient aux abords de la rivière Ochulgee, que les Européens appelaient Ochese Creek. Eux-mêmes se nommaient *Muskoke*, du nom de la tribu dominante.

♦ Langue : muskogean.

♦ Actuels Etats de Géorgie et Alabama.

♦ Confédération de tribus réunies autour des Muskokes. Les Creeks étaient excellents agriculteurs (maïs, courges, tournesols), à l'occasion chasseurs et pêcheurs. Leurs villages étaient fortifiés.

♦ Aux côtés des Yamassees pendant leur révolte (1715), ils s'opposèrent aux Cherokees pour l'hégémonie régionale (1753) et s'allièrent aux Anglais contre Français et Espagnols. Cela n'empêcha pas les colons britanniques d'envahir leurs terres. Après l'indépendance américaine, les Creeks menèrent en vain la révolte des Red Sticks (1812-1814). Leur exil forcé vers le lointain Oklahoma commença en 1836.

♦ Environ 20 000 au début du XVIIIᵉ siècle. Leurs descendants sont nombreux (entre 12 000 et 40 000) et, pour la plupart, installés dans des réserves en Oklahoma.

Village Creek.

D'après une gravure du XVIIᵉ siècle.

LES CHICKASAWS

♦ Etymologie inconnue.

♦ Langue : muskogean.

♦ Nord de l'actuel Etat du Mississippi.

♦ Guerriers très redoutés. Les hommes chassaient, pêchaient et bâtissaient les demeures. Les femmes s'occupaient des plantations.

♦ Alliés fidèles des Anglais, les Chickasaws jouèrent dans le sud le même rôle que les Iroquois dans le nord. Ne tolérant aucune incursion sur leur territoire, ils luttèrent contre Shawnees (1715 et 1745), Iroquois (1732), Français (1736), Cherokees (1769) et Creeks (1795). Migrèrent vers l'Oklahoma en 1822, où ils obtinrent un territoire distinct (1855).

♦ Environ 5 000 descendants au milieu du XXᵉ siècle.

D'après George Catlin, 1834.

LES CHOCTAWS

♦ Etymologie incertaine. Peut-être corruption de l'espagnol *chato*, signifiant "plat", "aplatir" (le crâne des enfants car, pensaient-ils, cette coutume donnait une vue perçante). Pour cette raison, les Français les appelaient "Têtes plates".

♦ Langue : muskogean.

♦ Sud de l'Alabama.

♦ Moins belliqueux que leurs voisins et ennemis Chickasaws, les Choctaws se consacraient à l'agriculture (maïs, patates douces, tournesol). Egalement chasseurs à l'arc et à la sarbacane.

♦ Après le passage de l'expédition de Soto, ils restèrent 150 ans sans contacts avec les Européens. Alliés des Français, ils durent, après la défaite de ceux-ci, migrer à l'ouest du Mississippi (1780). En 1830, ils cédèrent leurs terres au gouvernement américain et partirent vers l'Oklahoma.

♦ Environ 20 000 sur 115 villages au début du XVIIIᵉ siècle. Le recensement de 1985 indique à peu près le même nombre (Oklahoma, Mississippi).

D'après une gravure de 1762.

LES CHEROKEES

♦ Etymologie incertaine. Soit corruption de *Tsalagi*, "peuple des grottes", mot dont ils usaient pour se désigner, soit issu du creek *Tsiloki*, "peuple d'une autre langue".

♦ Langue : iroquoian.

♦ Etablis à l'extrémité sud de la chaîne des Appalaches.

♦ Cultivateurs et chasseurs, les Cherokees étaient organisés en 7 clans aux structures complexes. Leur soixantaine de villages était groupée autour de la "capitale" : Echota.

♦ Rencontrés par de Soto en 1540, ils furent impliqués dans toutes les luttes qui ensanglantèrent la région. Refoulés vers l'ouest par les colons, ils participèrent à la révolte de Little Turtle et à la victoire indienne de la Wabash (1781). Tentèrent de s'organiser en nation sur le modèle blanc. Une écriture fut inventée, un hebdomadaire, le *Cherokee Phoenix*, publié. Mais la poussée des colons et la découverte de l'or sur leur territoire (1826) précipita leur exil vers l'Oklahoma, que beaucoup payèrent de leur vie sur la Piste des Larmes. Participèrent divisés à la guerre de Sécession, certains optant pour le Nord, d'autres pour le Sud.

♦ Estimé à 25 000 en 1650, leur nombre approchait les 50 000 en 1982. Une grande majorité en Oklahoma, même si certains, de plus en plus nombreux, rejoignent les terres ancestrales (Tennessee, Caroline du Nord).

CHEZ LES "HOMMES DU SOLEIL"

D'après George Catlin, 1838.

LES YUCHIS

♦ "Ceux qui viennent de loin". Leur propre nom, *Tsoyama*, signifiait "hommes du soleil".

♦ Langue : siouan.

♦ Est du Tennessee.

♦ Vivant dans une région de petites montagnes, ils étaient indépendants et farouches guerriers.

♦ En 1567, les Espagnols leur infligèrent de très lourdes pertes. Face à la pression des colons, ils migrèrent vers les terres des Creeks (1729) qu'ils suivront, pour certains, en Oklahoma. D'autres grossirent les rangs des Seminoles.

♦ Population estimée à 5 000 au XVIᵉ siècle. Le recensement de 1949 dénombrait 1 216 descendants de Yuchis, dont une moitié métissée.

LES CATAWBAS

♦ Etymologies possibles : du choctow *Katapa*, "divisé, séparé", ou du yuchi *Kotaba*, "hommes robustes". Egalement connus sous le nom de *Issa* ou *Essa* : "rivière".

♦ Langue : siouan.

♦ Vallée de la rivière Wateree (ou Catawba), dans les deux Carolines.

♦ Agriculteurs sédentaires, réputés braves et hospitaliers.

♦ Confédération d'une quinzaine de tribus. Ennemis des Cherokees, ils furent fidèles aux Anglais (sauf en 1715, lors de la révolte des Yamassees) puis aux Américains.

♦ Durement frappés par les guerres et la variole, les Catawbas n'étaient plus que quelques centaines en 1775. Certains se fondirent et se métissèrent parmi les Cherokees en exil. Le dernier sang-pur serait mort en 1962.

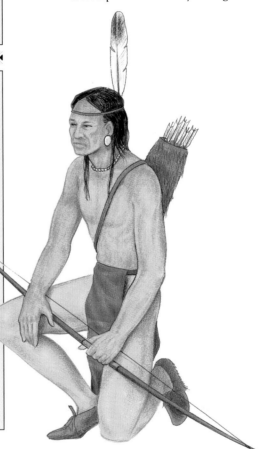

Le serpent corail (*Micrurus fulvius*) peut atteindre 1,20 m. Cette espèce au dangereux venin hante indifféremment les zones rocheuses et les espaces humides à forte végétation.

D'après une gravure du XVIIIᵉ siècle.

Bien intégrés dans un environnement qu'ils respectaient, les Indiens du Sud-Est structuraient l'univers en trois niveaux : un monde "du haut", fait d'ordre et de pureté, un monde "du bas", refuge des forces maléfiques et perturbatrices. Ces mondes étaient en conflit permanent, à la recherche d'un équilibre qui ne pouvait se réaliser que dans un troisième niveau intermédiaire : le monde réel où vivaient hommes, plantes et animaux. Les animaux, eux aussi, se classaient en trois catégories : les animaux à quatre pattes, les plus familiers du monde réel dont le cerf est l'exemple emblématique ; les oiseaux qui frôlent de leurs ailes le monde "d'en haut" ; les serpents, lézards, poissons, insectes en contact avec le monde "d'en bas". Certains animaux, regardés avec crainte, échappaient à cette classification : la chauve-souris et l'écureuil volant (4 pattes mais évoluant dans l'air), les grenouilles et les tortues (4 pattes mais en contact avec l'eau), les chouettes et les couguars (voyant de nuit), certains serpents capables d'évoluer au sol et dans les arbres. Apte à se déplacer sur quatre pattes et aussi, comme l'homme, sur deux, l'ours occupait une place particulière : aux yeux des Indiens, c'était un homme qui refusait la condition humaine et préférait vivre tel un animal. Les végétaux étaient classés en deux catégories, selon que leur feuillage était caduc ou persistant.

Pour ces Indiens bien organisés, le monde réel était une construction simple et logique : une île flottant sur les eaux et suspendue au ciel par les quatre points cardinaux... c'est peu de dire que cette naïve et poétique vision s'effondra le jour où les Espagnols, les "hommes de fer", puis d'autres, tous venus d'ailleurs, firent irruption dans leur univers, apportant la dévastation, la maladie et la mort. ▲

Le crotale Diamond (Crotalus adamanteus) est particulier au Sud-Est. C'est le plus grand des serpents à sonnette, le plus dangereux aussi par la virulence de son venin.

D'après Charles Bird King, 1826.

LES SEMINOLES

◆Peut-être la traduction d'un terme creek signifiant "fugitif". Plus probablement, corruption de l'espagnol *cimarron* : "sauvage". Eux-mêmes s'appelaient *Ikaniuksalgi*, "peuple de la péninsule".

◆Langue : muskogean.

◆Etablis en Floride.

◆Cultivateurs (maïs, courges, tabac, patates douces, melons), chasseurs, pêcheurs et cueilleurs de fruits. Elevèrent des bovins à partir d'animaux abandonnés par les Espagnols.

◆Peuple métis, constitué par apports successifs d'Indiens fuyant la progression des Blancs (Yamassees, Apalachees, Creeks Red Sticks) et d'esclaves noirs. De 1817 à 1858, trois guerres contre les Américains les forcèrent à quitter progressivement la Floride. Hormis 300 Seminoles qui refusèrent de quitter les Everglades, les autres partirent pour l'exil.

◆En 1970, on dénombrait environ 4 000 Seminoles en Oklahoma et 2 000 en Floride.

Abri Seminole.

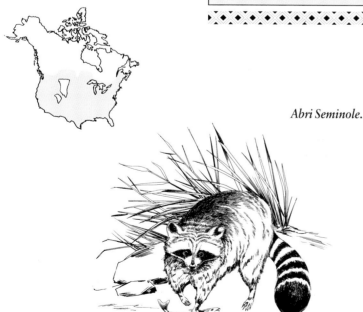

Le raton laveur (Procyon lotor) est un animal essentiellement américain. Présent dans les zones boisées, le long des cours d'eau et des lacs, omnivore, le raton laveur vit sédentaire autour de son antre, le plus souvent un tronc d'arbre creux. Il ne rompt ses habitudes qu'en période d'accouplement ; le mâle part alors à la recherche d'une compagne, dont il partagera la vie quelques jours avant de repartir en quête d'une nouvelle aventure.

D'après une photo du Harper's Weekly, 1858.

LA GRANDE FORÊT

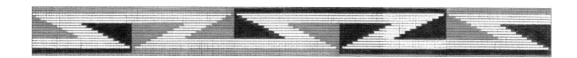

LES HOMMES DU CASTOR

C'est par cette région qu'au XVIᵉ siècle, Français et Anglais prirent pied sur le nouveau continent. Ils découvrirent une vaste contrée couverte d'une épaisse forêt, éclairée par un réseau dense de rivières et de lacs. Seules quelques modifications du décor naturel témoignaient de la présence des hommes : implantations de villages à proximité des points d'eau, utilisation de quelques surfaces déboisées pour la culture du maïs ou du tabac. Les poissons abondaient dans les eaux et divers gibiers foisonnaient du sous-bois à la cime des arbres. Chaque printemps, les Indiens partaient récolter la sève de l'érable. Le liquide était stocké dans des seaux en écorce de bouleau et on y jetait des pierres brûlantes afin de le porter à ébullition. Le sirop ainsi obtenu après cuisson allait constituer un des éléments de base de la nourriture indienne.

oreilles... visage entièrement noir sauf le front, le pourtour des oreilles et le menton... bande noire ou rouge d'une oreille à l'autre... visage moitié vert, moitié rouge". Les peintures se combinaient avec les tatouages, fréquemment pratiqués sur les garçons et les filles dès la puberté. Le thème du tatouage était le plus souvent une évocation de la puissance protectrice, animal ou force naturelle, révélée par des visions ou des rêves. Dans certaines tribus, comme les Neutres du lac Erié, les tatouages pouvaient recouvrir tout le corps dans une sorte de délire décoratif.

Dans cette vaste région (3 000 km d'est en ouest et environ 2 000 km du nord au sud), la majorité des tribus pratiquait des dialectes algonquians. Les seules exceptions étaient les Winnebagos (siouan) qui vivaient sur les rives du lac Michigan et les nations du groupe iroquoian regroupées à l'est et au sud du lac Ontario. Un dernier peuple de langue iroquoiane, les Tuscaroras, vivait sur le littoral atlantique de l'actuelle Caroline du Nord. ▲

Pêcheurs, chasseurs mais aussi cultivateurs, les Indiens puisaient dans cette immense forêt la matière première indispensable à la fabrication des armes et des ustensiles familiers, à l'édification des habitations ou des palissades protectrices des villages. Les arbres étaient brûlés à la base pour être abattus facilement ; le bois était ensuite taillé, creusé, poncé à l'aide d'outils en pierre, os ou coquillage. Des opérations de démasclage permettaient de récupérer l'écorce des arbres : aplatie et taillée en plaques, elle était utilisée pour recouvrir les murs et les toits des maisons communes ou pour fabriquer les canots. Les fibres ligneuses les plus longues et les plus souples servaient à la confection de liens ou de filets. Comme tous leurs frères du continent, les Indiens de la Grande Forêt parvenaient à tirer le meilleur parti de leur environnement.

Ce sont ces hommes que les Français d'abord, les Anglais quelques années plus tard, rencontrèrent. Des hommes coiffés de plumes, le visage et le corps peints de couleurs éclatantes. Leur fantaisie dans ce domaine ne connaissait point de limite et les descriptions des témoins trahissent leur étonnement : "nez peint en bleu... sourcils et joues en noir... rayures rouges, bleues, noires de la bouche aux

Abondant sur tout le continent nord-américain, le castor peuplait les marais et les rives des lacs et cours d'eau. Saules, bouleaux, trembles, érables lui fournissaient nourriture et matériaux de construction. Sa fourrure fut l'objet d'un important commerce avec les Européens dès le début du XVIIᵉ siècle.

AU NOM DE LA "REINE VIERGE"

D'après John White, 1590.

LES SECOTANS

♦ "Là où c'est brûlé", peut-être allusion à la technique de défrichage par le feu de ce peuple d'agriculteurs.

♦ Langue : algonquian.

♦ Littoral de la Caroline du Nord entre les baies Albemarle et Pamlico.

♦ Agriculteurs (maïs, haricots, courges...), chasseurs et pêcheurs. Leurs villages, proches de la mer, étaient entourés de palissades : ils comprenaient de dix à trente grandes maisons.

♦ Leur vie fut décrite par John White qui accompagnait sir Raleigh. Ils furent, comme leurs voisins Powhatans, submergés par la colonisation européenne (XVIIe s.). Les tribus Machapungas, Pamlicos et Hatteras qui, plus tard, vécurent dans la région semblent avoir été les descendantes des Secotans.

D'après John White, 1590.

Maison Secotan.

Du nord au sud, du territoire des Tuscaroras aux rives de l'actuel New Hampshire, les tribus algonquines (Secotans, Powhatans, Nanticokes, Delawares, Mohegans, Narragansetts, Wampanoags, Massachusetts) qui se partageaient le littoral profitaient simultanément de la forêt, d'une fertile plaine côtière et de l'océan avec ses inépuisables ressources en poissons, crustacés et coquillages.

Cette côte fut le terrain de conquête des Anglais. Sir Raleigh l'atteignit en 1584 et envoya Arthur Barlow explorer l'arrière-pays ; ils prirent possession de la région et la baptisèrent Virginie en l'honneur de leur souveraine Elisabeth I, la "Reine Vierge". Barlow, dans son périple, rencontra des Indiens : "Ce sont des hommes très aimables, accueillants, sans ruse ni dissimulation. Ils semblent vivre à l'âge d'or de leur histoire..." Malgré ces heureux présages, deux essais successifs d'implantation se soldèrent par des échecs. John White, chargé par Raleigh de retrouver la trace de ses anciens compagnons dans les tribus du voisinage, ne put que constater leur disparition ; il laissa derrière lui une nouvelle colonie de cent vingt-deux hommes à Roanoke.

Quand Raleigh et John White revinrent en 1590, la colonie avait mystérieusement disparu et nul ne sut avec certitude ce que ces hommes étaient devenus. John White ne revit jamais ses compagnons, mais il a laissé une série de dessins, témoignages de la vie des Indiens Secotans et de l'organisation de leurs villages.

En 1607, une nouvelle colonie de cent quarante-quatre Anglais s'établit sur le territoire des Powhatans. Ils avaient pour consigne de "ne pas offenser les naturels", mais leur fanatisme religieux, leur cupidité et la brutalité de leurs méthodes ne tardèrent pas à faire naître l'hostilité des Indiens. Malgré le mariage de John Smith, chef de la colonie, avec Pocahontas, fille du roi Powhatan, les années qui suivirent allaient voir se succéder épisodes sanglants et traîtrises. L'irrésistible expansion de la colonie se fit au prix de l'éclatement de la confédération Powhatan et de la disparition des tribus qui la composaient. ▲

Réalisée d'après une aquarelle de John White,
cette illustration donne une idée de l'organisation
d'un village algonquin de la côte de Virginie
à la fin du XVIᵉ siècle.

A- Proximité d'un point d'eau.
B- Champ de maïs avec guetteur dans un abri
pour chasser les oiseaux.
C- Habitations communes recouvertes de nattes.
D- Cultures maraîchères.
E- Villageois prenant un repas.
F- Feu près d'un lieu de culte.
G- Danse rituelle autour de mâts à effigie humaine.

D'après Wencelaus Hollar, 1645.

LES POWHATANS

◆ Confédération de tribus regroupées sous l'autorité de Wahunsonacock, chef des Potomacs (tribus Pamukey, Pocomoke, Rappahannock, Nansemond, Wicomi, Mattaponi...). Les Blancs l'appelèrent *Powhatan* et ce nom désigna les Indiens de cette confédération.

◆ Langue : algonquian.

◆ Littoral de la Virginie et du Maryland.

◆ Agriculteurs et chasseurs.

◆ Furent les premiers à subir l'invasion blanche. Entre 1607, date de la fondation de Jamestown, et 1675 survint une succession ininterrompue de trêves, de massacres. En quelque soixante ans, les tribus Powhatans furent réduites à quelques bandes éparses.

◆ Quelques descendants très métissés en Virginie.

"GRANDS-PÈRES ET PEUPLES DE L'EST"

Exemple type de ces communautés algonquines, les Delawares constituaient la nation la plus importante de la région. Elle n'était pas une structure monolithique, mais plutôt un ensemble de lignages familiaux, chacun dirigé par un *sachem* désigné pour sa sagesse mais dont le pouvoir était limité et les décisions soumises au Conseil des Anciens. A sa mort, le sachem était remplacé par un autre homme, généralement son plus proche parent par les femmes (le fils de sa sœur, par exemple), car la société delaware reposait sur un système de transmission de biens et de pouvoirs par la lignée féminine. Cependant, seuls les hommes assumaient les responsabilités économiques, religieuses ou politiques.

Etablis en bordure de rivière, les villages delawares se composaient de constructions de différentes grandeurs : du *wigwam* familial à la vaste maison commune. Les Delawares vénéraient le Grand Esprit, ensemble des forces qui animaient la Nature et s'adressaient aux hommes par le truchement des phénomènes naturels. Ces forces étaient partout, habitaient chaque être et chaque chose.

D'après Peter Martensen Lindstrom, 1653.

LES DELAWARES

♦ Du nom de Lord de La Warr, gouverneur de la Virginie. Eux-mêmes s'appelaient *Lenni-Lenapes*, les "vrais hommes", ou "hommes parmi les hommes".

♦ Langue : algonquian.

♦ Etablis dans les Etats du Delaware, du New Jersey, et dans l'est de la Pennsylvanie.

♦ Chasseurs, pêcheurs et cultivateurs. Considérés avec respect par les autres nations algonquines, du fait de leur suprématie dans la région (on les surnommait les "Grands-Pères"). Etaient organisés en trois clans : *Munsee* (le loup), *Unalachtigo* (le dindon) et *Unami* (la tortue).

♦ Après des débuts difficiles avec les Hollandais, le chef Delaware Tammady signa avec William Penn en 1683 un traité qui ouvrit une ère de paix de plus de 50 ans. Mais les fils de Penn spolièrent les Delawares de leurs meilleures terres à l'occasion de la *Walking Purchase* (1737). Les Indiens partirent pour les vallées du Susquehanna et de l'Ohio.

♦ Participèrent aux ultimes révoltes dans l'Est sous la conduite de Little Turtle (1790) et Tecumseh (1812). Pendant la guerre de Sécession, les Delawares luttèrent aux côtés des Nordistes.

♦ Existe une réserve en Oklahoma.

Le gibier d'eau abondait dans le nord-est des Etats-Unis, région riche en lacs et rivières, située dans l'axe des migrations entre le nord du Canada et le golfe du Mexique. Parmi d'autres, ces trois oiseaux constituaient des cibles appréciées des chasseurs :

A- L'oie canadienne (Branta Canadensis).

B- Le malart (Anas Platyrhynchos).

C- Le canard des bois (Aix Sponsa).

D'après un portrait destiné à John Winthrop, 1637.

LES NARRAGANSETTS

◆ "Hommes du petit point" (de terre).

◆ Langue : algonquian.

◆ Rhode Island et Connecticut.

◆ Agriculteurs.

◆ Ennemis des Pequots, ils contribuèrent à leur défaite et devinrent la plus puissante tribu du nord de la Nouvelle-Angleterre (1637). Ils furent à leur tour la cible des Puritains. Mêlés à la guerre du roi Philippe, les Narragansetts furent vaincus (1676) et disparurent.

◆ Il restait 25 Narragansetts en 1900. Leurs descendants vivent au Rhode Island.

LES WAMPANOAGS

◆ "Peuple de l'Est".

◆ Langue : algonquian.

◆ Etat actuel du Massachussets.

◆ Cultivateurs et pêcheurs.

◆ Massacoit, leur chef, se porta au secours des pélerins du *Mayflower* en 1621. L'implantation des colons se fit au détriment d'autres tribus, comme les Pequots.

◆ Massacoit mourut en 1662. Son fils ainé Metacom, que les Blancs surnommaient le roi Philippe, lui succéda. En 1675 et 1676, il mena une guerre sanglante contre les colons et leurs alliés Mohegans. Il fut tué en 1676, et sa nation vaincue. Les survivants furent, pour la plupart, vendus comme esclaves.

D'après Cyrus Dallin.

Fréquemment, les Algonquins se visitaient entre voisins pour échanger leurs produits ; ces transactions donnaient lieu à réception amicale, où l'on se témoignait sa confiance en fumant ensemble longuement.

Des affrontements survenaient aussi entre ces tribus, mais davantage par souci de préserver leur identité et leur liberté que par volonté de conquête et de domination.

S'ils n'étaient gâchés par une maladresse, les premiers contacts avec les Européens furent souvent amicaux. Est-ce par calcul ? par prudence ? ou le fait du naturel accueillant de ces peuples ? L'exemple de Massacoit, chef des Wampanoags, qui sauva du désastre les survivants du *Mayflower*, plaiderait plutôt pour la dernière hypothèse. La suite de l'histoire prouvera que la plus grande agressivité n'était pas du côté des Indiens. ▲

Le sirop d'érable était un appoint alimentaire important pour les Indiens et sa récolte, au printemps, constituait un événement de la vie tribale. Une incision dans le tronc permettait à la sève de s'écouler dans des seaux en écorce de bouleau. On la portait ensuite à ébullition dans de grands chaudrons.

ENTRE HUDSON ET SAINT-LAURENT

Plus au nord, les Micmacs, Malecites, Abnakis, Pennacooks vivaient dans l'actuel Etat du Maine, région montagneuse exposée aux vents froids du Labrador et peu propice à l'agriculture. Seminomades, leur habitat était précaire : quatre jeunes arbres rassemblés en faisceau et recouverts d'écorce de bouleau constituaient le *wigwam* (corruption du mot algonquin *wikiwhom*, habitation d'écorce). Ces Indiens se déplaçaient au gré de leurs besoins en nourriture dans une nature généreuse malgré un climat excessif : poissons des lacs et des rivières, oies, canards et castors en multitude.

Leur gibier de prédilection était l'orignal, animal solitaire mais proie de qualité représentant un apport important en viande et peau. Les techniques de chasse variaient suivant les saisons : piégé au filet ou approché par ses poursuivants dissimulés sous des peaux, l'orignal était aussi, en automne, période du rut, attiré à portée de flèches par l'usage d'un appeau imitant le brame d'amour. Cette méthode était utilisée par tous les chasseurs d'élans de la Grande Forêt et du subarctique. En hiver, l'orignal, comme le bison, se déplaçait difficilement dans la neige profonde : un Indien chaussé de raquettes pouvait alors l'approcher et le tirer à bout portant. ▲

D'après Kaulbach, début du XIXe siècle.

Chasse à l'orignal en hiver.

LES MICMACS

- De *Migmak* : allié.

- Langue : algonquian.

- Actuel Nouveau-Brunswick et île du prince Edouard.

- Chasseurs semi-nomades, alliés des Abnakis.

- Furent sans doute aperçus par Zuan Cabotto (John Cabot) qui longea la côte en 1497. Jacques Cartier les rencontra dans le golfe du Saint-Laurent en 1534, venant à lui avec des fourrures comme cadeaux de bienvenue..., mais il les chassa à coups de canon.

- Alliés des Français, ils retardèrent l'implantation anglaise en Nouvelle-Ecosse et au Nouveau-Brunswick, après avoir aidé à l'élimination des Beothuks de Terre-Neuve en 1706.

- Les Micmacs vivent toujours en Nouvelle-Ecosse.

Les Abnakis

◆ De *Wabanaki*, "ceux de la terre du Levant".

◆ Langue : algonquian.

◆ Nord de l'actuel Etat du Maine.

◆ Chasseurs et pêcheurs.

◆ Hommes aux mœurs simples, courageux, redoutables guerriers, les Abnakis formaient une confédération de tribus (Penobscots, Pennacooks...). Furent christianisés par les Jésuites dans le courant du XVIIe s.

◆ Alliés des Français, ils menèrent une guerre intense contre les Anglais. Ces derniers se vengèrent en massacrant la communauté fondée par le père Sebastien Rôle à Norridgewock (1724).

◆ Affaiblis par les combats et la variole, les Abnakis déposèrent les armes en 1754. Sept cents d'entre eux furent cependant aux côtés des Américains pendant la guerre d'Indépendance.

◆ Des descendants vivent au Québec et dans le Maine.

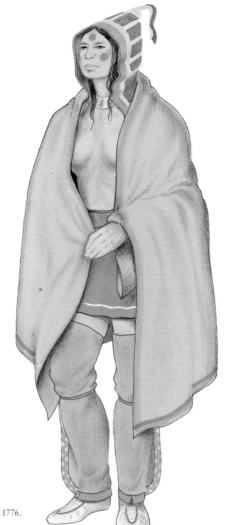

D'après une aquarelle, 1776.

D'après la description d'un colon hollandais,
début du XVIIIe siècle.

Les Mahicans

◆ Selon certaines interprétations, leur nom signifie "les loups". D'autres penchent pour "marée", en référence au mouvement des eaux de l'Hudson.

◆ Langue : algonquian.

◆ Rives de l'Hudson.

◆ Agriculteurs, chasseurs et pêcheurs, leur mode de vie était proche de celui des Delawares et des Mohegans.

◆ En guerre contre les Mohawks pour le contrôle des fourrures sur l'Hudson. Dès le début du XVIIIe s., l'implantation anglaise les chassa de leurs terres. Comme la majorité des Algonquins, ils se rangèrent aux côtés des Français, puis certains combattirent sous les ordres du général La Fayette pendant la guerre d'Indépendance.

◆ Réserve dans le Wisconsin.

L'orignal est le plus grand des cervidés.
Il peut atteindre la taille d'un cheval et
ses bois dépassent parfois 1,5 m d'envergure.
Hôte des forêts, il affectionne les zones
marécageuses et les bosquets feuillus.
En été, il est souvent solitaire dans
sa quête de nourriture : feuilles de saule
et plantes aquatiques. En hiver, il se déplace
en petites hardes et se contente
de brindilles et d'écorces de bouleau.

SENECA

CAYUGA

ONONDAGA

LA LIGUE DES NATIONS

D'après Benjamin West, 1759.

Les territoires des cinq tribus de la ligue des nations se disposaient en éventail au sud du lac Ontario. Les Senecas à l'ouest, puis successivement les Cayugas, les Onondagas, les Oneidas et enfin les Mohawks à l'est. La région est celle des Fingers Lakes ; ces vestiges de la dernière glaciation sont de superbes étendues d'eau enchâssées dans des collines boisées et fertiles. Les Iroquois en étaient-ils les premiers occupants ou vinrent-ils comme des intrus s'installer dans un monde peuplé d'Algonquins ? Si la première hypothèse semble la plus plausible pour les archéologues, la seconde séduit certains linguistes arguant d'une parenté possible entre l'iroquoian et le dialecte caddoan des Pawnees de la plaine occidentale.

Après que ces cinq tribus se furent affrontées jusqu'au XVe siècle, un sage nommé Deganawidah fit le rêve de mettre fin aux luttes fratricides et stériles qui entraînaient la mort de nombreux jeunes guerriers. Un homme, Hiawatha, partit convaincre les tribus d'unir leurs forces au lieu de se combattre. Une confédération prit naissance au XVIe siècle et, l'union faisant aussi la force des Iroquois, ils ne tardèrent pas à affirmer leur suprématie sur tous leurs voisins, en particulier sur leurs frères par le langage, Eriés, Neutres et Tabacs, qu'ils anéantirent. Même les puissants Hurons cédèrent sous leurs coups. Puissance dominante dans une région stratégique, les Iroquois essayèrent également de contrôler le commerce des fourrures dès la fin du XVIIe siècle. Leur rôle dans la guerre franco-anglaise fut déterminant.

Les Iroquois habitaient de longues demeures que se partageaient plusieurs familles du même clan. Le village, regroupant plusieurs de ces habitations, était protégé par une palissade et se situait à proximité d'une rivière et sur une éminence. Le proche environnement était défriché et cultivé. Tous les quinze ou vingt ans, le village se déplaçait après épuisement de la nature alentour.

Comme chez certaines tribus algonquines, ainsi les Delawares, les femmes iroquoises jouaient un rôle prépondérant dans la communauté — sous l'autorité de leur doyenne, elles détenaient tous les biens, en particulier les grandes maisons. Elles assuraient les récoltes de maïs, de courges ou de fèves et se chargeaient de stocker les réserves dans des silos creusés en terre et tapissés d'herbes et d'écorce. Elles s'occupaient des enfants et des vieillards. Le lignage par les femmes restait la base de l'organisation tribale.

ONEIDA

MOHAWK

TUSCARORA

LES IROQUOIS

♦ Du terme algonquin *Irinakhoiw* pour désigner les Senecas : "vrais serpents".

♦ Les Iroquois se désignaient eux-mêmes *Hodinonhsioni*, "peuple de la grande maison".

♦ La Ligue des cinq nations réunissait d'ouest en est :
Les Senecas : déformation par les Hollandais et Anglais de leur nom *Tsonondowaka*, "hommes de la montagne".
Les Cayugas : "hommes du bord de l'eau", ou de "la terre boueuse".
Les Onondagas : *Onontage*, "sur le sommet de la colline".
Les Oneidas : *Oneniute*, "hommes de la pierre debout".
Les Mohawks : "mangeurs d'hommes", qui se nommaient eux-mêmes *Kaniengehaga*, "hommes du pays du silex".

♦ La Ligue devient la Confédération des six nations en 1722, avec l'arrivée des Tuscaroras ("ceux qui récoltent le chanvre").

♦ Langue : iroquoian.

♦ Etablis sur les rives sud du lac Ontario.

♦ Agriculteurs, chasseurs et guerriers d'exception. Ils vénéraient un ensemble complexe d'animaux, de plantes et de forces naturelles.

♦ Le Grand Conseil réunissait cinquante sachems (8 Senecas, 10 Cayugas, 14 Onondagas, 9 Oneidas et 9 Mohawks). En fait, seuls 8 Mohawks siégaient, personne ne prenant la place de Hiawatha, l'inspirateur de la Ligue.

♦ Jusqu'à la fin du XVIIIe s., les Iroquois furent de tous les conflits. Alliés aux Anglais contre les Français, leurs actions furent déterminantes. Sous la conduite de Joseph Brant, ils restèrent fidèles à leurs alliés contre les Insurgents américains (seuls les Oneidas optèrent pour la neutralité). Leurs villages furent détruits en 1779, au terme de leur défaite.

♦ Regroupés dans plusieurs réserves de l'Etat de New York. Egalement dans le Wisconsin (Oneidas), l'Oklahoma (Senecas) et au Canada.

Casse-tête Iroquois.

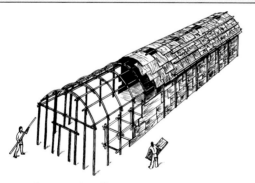

Construction d'une maison Iroquoise.

Elles seules désignaient les chefs représentant la tribu au Grand Conseil, l'instance suprême de la ligue. Ces chefs étaient choisis parmi les descendants mâles des mères des premiers chefs réunis par Hiawatha. Les décisions du Grand Conseil étaient contrôlées par les femmes qui ne se privaient pas, à l'occasion, de manifester leur désaccord ou de désavouer un chef et de le remplacer.

Les cérémonies qui ponctuaient la vie communautaire étaient soit liées au rythme des saisons et des cultures (fêtes de la pomme, du maïs, des fraises, expressions de gratitude envers la terre nourricière), soit des fêtes de sociétés religieuses ayant vocation de guérir (*False face society*) ou de prédire l'avenir (*Hunk face society*). ▲

D'après Langdon Kihn, fin du XVIIIe siècle.

23

LES ABORDS DU LAC HURON

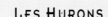

LES HURONS

♦ Eux-mêmes s'appelaient *Wendat*, "peuple de la péninsule". Formes voisines : *Guyandot* ou *Wyandot*. Les compagnons de Champlain les baptisèrent Hurons à cause de leur coiffure en forme de hure.

♦ Langue : iroquoian.

♦ Etablis entre les lacs Huron et Ontario.

♦ Cultivateurs (blé, fèves, tournesol), pêcheurs et chasseurs.

♦ Villages installés à proximité d'un lac ou d'une rivière. Longues maisons en écorce d'orme.

♦ Divisés en quatre clans (Rock, Cord, Bear et Deer), ils étaient organisés en confédération. Pour partie convertis au christianisme par des missionnaires, les Hurons s'allièrent aux Français. Leurs ennemis Iroquois en tirèrent prétexte pour les anéantir en 1648.

♦ Des descendants vivent aujourd'hui dans la réserve Wyandot (Oklahoma). Une autre communauté existe à Lorette (Québec).

D'après Samuel Champlain, 1615.

D'après une gravure, 1847.

La région limitée par les lacs Ontario, Erié, Huron et Simcoe était une enclave fertile irriguée par de nombreux étangs et rivières. Là s'étendait le territoire des autres nations de langue iroquoise dont la plus importante était la tribu Wendat (Huron). Les analogies avec ceux de la Ligue étaient nombreuses : même habitat, mêmes cultures, même organisation tribale.

Quand Samuel Champlain les rencontra en 1609, les Hurons virent dans l'alliance avec les Français le moyen de contrer la menace que la confédération iroquoise faisait peser sur la région, et la possibilité de s'assurer la place d'intermédiaire dans le commerce des fourrures. Leur fidélité à cette alliance devait les conduire au déclin.

Champlain qui séjourna plusieurs mois chez les Hurons fit de nombreux croquis et observations sur leur vie. Il nota que ce peuple pratiquait une technique de chasse qui lui rappelait "le beau pays de France" : des rabatteurs avançaient bruyamment dans les bois, poussant devant eux les animaux vers des enclos où ils étaient facilement abattus. Champlain fut impressionné par les rites hurons lors de la fête des Morts qui avait lieu tous les dix à douze ans. Les cercueils d'écorce, placés sur une plate-forme à trois ou quatre mètres du sol, étaient ouverts : les chairs des cadavres étaient séparées des os et brûlées. Les os étaient lavés et enveloppés dans des peaux de castors et transportés vers le village où avait lieu la cérémonie. Après un festin et des danses, les os étaient jetés dans une fosse en un grand mélange anonyme. C'était pour les Hurons la condition nécessaire pour que les âmes des défunts puissent partir, par la Voie lactée, vers le royaume des morts où hommes et femmes pourraient reprendre leurs activités traditionnelles : chasse, pêche et agriculture.

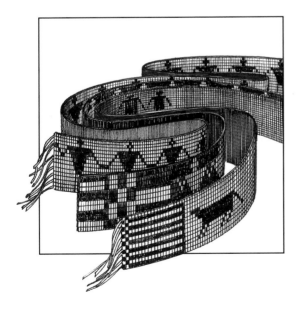

Pour célébrer un événement ou consigner les termes d'un traité, les Indiens algonquins et iroquois réalisaient des wampuns (contraction de l'algonquin wampumpeag), composition de fragments de coquillages cylindriques enfilés comme les perles d'un collier et assemblés sous forme d'écharpe ou de ceinture. On leur accordait une grande valeur et des vertus apaisantes lors des rituels de deuil et de condoléances. Ils servaient également de monnaie d'échange entre tribus et colons.

LES OTTAWAS

♦ De l'algonquin *adawe*, "commercer".

♦ Langue : algonquian.

♦ Rives de la baie Géorgienne et île Manitoulin au nord du lac Huron.

♦ Activités traditionnelles des Algonquins des Grands lacs. Les Ottawas servaient d'intermédiaires entre l'Est et l'Ouest.

♦ Repoussés par les Iroquois au nord du lac Michigan, ils furent alliés inconditionnels des Français. Après le traité de Paris (1763), leur chef Pontiac refusa l'hégémonie anglaise et poursuivit la lutte.

♦ Les Ottawas firent partie de la fédération des Nations Indiennes Unies de Joseph Brant, hostile à l'expansion américaine. Mais ils cédèrent leurs terres au gouvernement fédéral par des traités successifs (1785, 1789, 1795, 1836).

♦ Il existe une réserve en Oklahoma, et beaucoup d'Ottawas sont établis au Michigan et en Ontario.

Voisines des Hurons, et leurs alliées contre l'ennemi commun iroquois, vivaient d'autres nations : au nord, les Algonkins (qui donnèrent leur nom à la famille linguistique) et les Ottawas des rives de la baie Géorgienne partageaient un même mode de vie de cultivateurs, de pêcheurs et chasseurs. Tous ces peuples menaient une existence semi-nomade en hiver. A la poursuite du gibier, ils se déplaçaient dans un périmètre de cinquante à cent kilomètres autour du village principal. C'est là qu'ils revenaient à la belle saison pour y couler des jours tranquilles : les femmes s'occupaient aux champs et les hommes chassaient le petit gibier dans la forêt voisine. Pour tous, la pêche fournissait un appoint important de nourriture. Les canots en écorce de bouleau étaient alors les véhicules indispensables pour explorer lacs et cours d'eau. ▲

LES ALGONKINS

♦ Nom dérivé du dialecte malecite. *Elakomkwik* signifie : "ils sont nos alliés". Une autre interprétation trouve l'origine du nom dans la langue micmac : *Algoomeaking*, "ils harponnent les poissons". Champlain les appela *Algoumequin* et les Iroquois *Adirondacks*, "mangeurs d'arbres".

♦ Langue algonquine, à laquelle ils ont donné leur nom.

♦ Occupaient le nord du Saint-Laurent, du lac Huron à l'est de Montréal, et les deux rives de la rivière Ottawa.

♦ Vivaient en bandes de quelques centaines de personnes, divisées en groupes de chasse. Ils étaient aussi pêcheurs et cultivateurs. Habitaient de grandes maisons de bois couvertes d'écorce de bouleau.

♦ Fidèles alliés des Français dès leur rencontre avec Champlain (1603). Menèrent une guerre permanente contre les Iroquois.

♦ 4 à 5 000 Algonkins vivent dans l'est de l'Ontario et l'ouest du Québec.

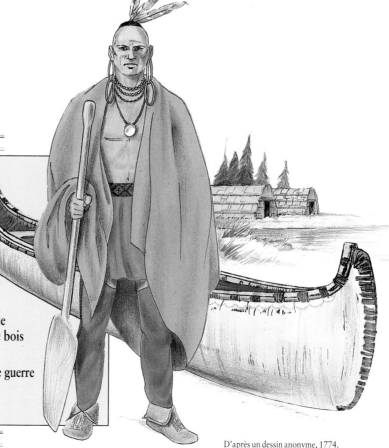

Avec les "Hommes du Riz Sauvage"

D'après Peter Rindisbascher, 1821.

Semi-nomades eux aussi, les Ojibwas occupaient la rive nord du lac Supérieur et profitaient simultanément des richesses de l'eau et de la forêt. Près de la baie Green, au nord-ouest du lac Michigan, les Menominees faisaient exception. Plus sédentaires que tous leurs voisins, leur vie s'organisait autour de la pêche aux esturgeons et de la récolte du riz sauvage. Cette graminée poussait en abondance dans les eaux boueuses des rivières et des lacs. La récolte se faisait en canot à la fin de l'été. Un homme conduisait l'embarcation et deux femmes, saisissant au passage des brassées de tiges, faisaient tomber les grains au fond du canot.

Les Menominees récoltaient plus de riz qu'ils n'en pouvaient consommer. Ils s'en servaient comme monnaie d'échange avec les Winnebagos, leurs plus proches voisins avec qui, malgré la différence de langues, ils entretenaient de cordiales relations.

En échange du riz des Menominees, les Winnebagos, qui étaient d'habiles cultivateurs, proposaient les surplus de leurs récoltes : maïs, tabac... Ils pouvaient aussi offrir à l'échange des peaux de bisons : semi-nomades, ils quittaient leur village principal en été pour chasser les bisons dans les grandes plaines. L'alliance des Menominees et des Winnebagos était aussi un moyen de contenir, au sud-ouest, les Sauks et Foxes, réputés pour leur agressivité. ▲

Tipi Ojibwa.

Récolte du riz sauvage.

La plante aquatique ainsi désignée est la Zizania aquatica. Elle prolifère dans les eaux stagnantes, sur les bords des lacs Supérieur et Michigan. Pour les Indiens de la région, les graines de cette plante constituaient une ressource alimentaire essentielle. La récolte se faisait en canot à la fin de l'été. Au cours de l'opération, une grande partie des graines retombaient à l'eau, assurant ainsi une future germination. La récolte était séchée au soleil et le vent se chargeait du vannage. Le riz sauvage était consommé bouilli avec du sirop d'érable.

LES WINNEBAGOS

◆De l'algonquin *Winipyagohagi*, "peuple de l'eau trouble". Eux-mêmes s'appelaient *Hochangara*, "peuple de la parole vraie", allusion à leur conviction de constituer l'une des tribus mères des Sioux.

◆Langue : siouan.

◆Nord de la rive occidentale du lac Michigan (péninsule Door et baie Green).

◆Chasseurs de bisons, ils cultivaient maïs, tabac, fèves et courges. Très hospitaliers, ils furent proches des Dakotas par leurs coutumes et croyances.

◆Alliés des Français, puis des Anglais, les Winnebagos s'opposèrent aux Américains jusqu'au terme de la révolte de Black Hawk (1832). Ils furent décimés par les épidémies.

◆Réserve winnebago au Nebraska, en commun avec les Omahas.

D'après George Catlin, 1835.

D'après George Catlin, 1831.

LES MENOMINEES

◆Leur nom complet, *Menominiwoks*, signifiait "les hommes du riz sauvage".

◆Langue : algonquian.

◆Territoire situé entre les lacs Michigan et Supérieur.

◆Pacifiques et sédentaires, ils furent, malgré les différences de langage, alliés des Winnebagos pour contenir leurs dangereux voisins Sauks et Foxes.

◆Pêcheurs dans les eaux des Grands lacs, ils cueillaient le riz sauvage et récoltaient le sucre d'érable. Les femmes étaient réputées pour leurs talents de tisserandes. A l'aide de fibres végétales ou de poils de bison, elles confectionnaient sacs et rubans.

◆L'explorateur Jean Nicollet les rencontra en 1634. Les Menominees participèrent à la révolte de Pontiac (1763), puis restèrent à l'écart des conflits.

◆Quelques descendants demeurent aujourd'hui dans la région des Lacs.

TERRE JAUNE ET RENARDS ROUGES

LES FOXES

♦ Nom donné par les Blancs en référence à l'un de leurs clans, Red Fox, le "Renard rouge". Leur nom *Meshkwaking* signifiait "peuple de la terre rouge".

♦ Langue : algonquian.

♦ Installés à l'est du lac Michigan, au sud du territoire sauk. Semi-nomades, cultivateurs et chasseurs de bisons. Réputés extrêmement agressifs, ils entretenaient des luttes permanentes contre les Ojibwas.

♦ En contact avec les Européens dès 1660, ils prirent parti en faveur des Anglais contre les Français qui cherchaient à commercer avec leurs ennemis Sioux. Proches de l'extinction, ils fusionnèrent avec leurs voisins Sauks dont ils partagèrent toutes les entreprises, sauf la révolte de Black Hawk en 1832.

♦ Réserves en Oklahoma (avec les Sauks) et en Iowa.

D'après Charles Bird King, 1837.

D'après George Catlin, 1835.

LES SAUKS

♦ Abréviation de leur nom signifiant "peuple de la terre jaune". Ils sont mentionnés en 1640 par les Jésuites sous le nom huron *Hvattoghronon* signifiant "peuple du couchant".

♦ Langue : algonquian.

♦ Ouest du lac Michigan, dans l'est de l'Etat actuel du Wisconsin.

♦ Cultivateurs et chasseurs de bisons, semi-nomades comme leurs alliés Foxes. Ils étaient réputés parmi les plus belliqueux de la région des Grands Lacs.

♦ Successivement adversaires des Français, des Anglais et des Américains, ils participèrent aux révoltes de Pontiac en 1763 et de Tecumseh, entre 1801 et 1814. Les Sauks signèrent en 1815 un traité qui entérinait la perte de leurs terres. Ultime révolte, vouée à l'échec, sous la conduite de leur chef Black Hawk ("Faucon Noir") en 1832.

♦ Leurs descendants vivent dans des réserves en Oklahoma (avec les Foxes) et en Iowa.

Abri d'hiver chez les Sauks.

Plus au sud, les Sauks, Foxes et Kickapoos qui occupaient l'actuel Wisconsin étaient des semi-nomades conjuguant agriculture et chasse aux bisons. Tous étaient des combattants redoutables mais les Sauks et les Foxes, en perpétuel conflit avec les Ojibwas, témoignaient d'un goût immodéré pour la guerre. Il ne s'agissait pas de batailles rangées à l'européenne, mais d'accrochages entre quelques braves désireux de laver un affront ou de prouver leur vaillance. Les retours de combats victorieux donnaient lieu à cérémonies rituelles telle la *Misekwe*, la danse du Scalp. Les scalps étaient présentés au chef de clan. Une fois les trophées rassemblés, la danse commençait et chaque combattant faisait le récit de son action. Aucune exagération n'était tolérée sous peine d'attirer le dédain des autres combattants. Un exploit hors du commun — traverser un groupe d'ennemis et toucher un chef de la main ou de son arme — pouvait justifier l'attribution à son auteur d'un nouveau nom en rapport avec son action guerrière.

D'autres cérémonies ponctuaient la vie des tribus des Grands Lacs. Au XVIIᵉ siècle apparut la *Midewiwin*, société de Grande Médecine. Ses rites étaient censés engendrer des forces capables de vaincre la maladie et d'assurer un voyage paisible vers l'au-delà à tous ceux qui adhéraient. Au cours de la cérémonie d'initiation, les membres de la société jetaient sur les postulants des coquillages sacrés contenus dans un sac-médecine en peau de loutre. Celui qui était touché pensait que le coquillage "entrait" en lui et le tuait. Il tombait sur le sol comme mort... pour ensuite, la magie agissant, se relever à l'aube d'une nouvelle vie. ▲

LES POTAWATOMIS

◆ Littéralement "hommes de la place du feu". Ils étaient connus comme la nation du feu.

◆ Langue : algonquian.

◆ Occupaient la rive orientale du lac Michigan.

◆ Chasseurs et pêcheurs semi-nomades. Ils pratiquaient la pêche de nuit en installant des feux à la proue de leurs embarcations.

◆ Alliés des Français contre les Anglais, participèrent ensuite à la révolte de Pontiac (1763). Installés dans l'Indiana, les Potawatomis s'opposèrent à la colonisation américaine. Expulsés en 1846, ils s'installent au Kansas et se heurtent aux Pawnees.

◆ Leurs descendants occupent des réserves en Oklahoma et au Kansas. Certains sont revenus au sud des Grands Lacs.

D'après Paul Kane, 1845.

LES KICKAPOOS

◆ De *Kiwegapan*, signifiant "il se tient par là". Les Indiens des plaines les nommaient les "mangeurs de cerfs" et les Hurons *Ontarahronon*, "peuple du lac".

◆ Langue : algonquian.

◆ Installés au sud de la rive occidentale du lac Michigan.

◆ Guerriers redoutables, ils avaient la réputation d'être "beaux, fiers et très indépendants".

◆ Marquette et Joliet les rencontrèrent en 1672. Les Kickapoos furent de la révolte de Pontiac (1763), de la victoire de la Maumee sur les Américains (1790), puis de la révolte de Tecumseh. Prirent une part importante dans la révolte de Black Hawk (1832). Exilés dans le Sud, ils s'installèrent au Texas avec les Delawares et les Cherokees. Alliés des Mexicains dans leur tentative de reconquête du Texas (1839). Une partie des Kickapoos s'exila au Mexique pour protéger la frontière des incursions apaches et comanches.

◆ Réserve pour les Kickapoos "mexicains" en Oklahoma, ainsi qu'au Kansas.

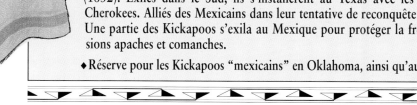

D'après August Schoeft, 1865.

ALGONQUINS DU SUD

D'après George Catlin, 1830.

LES MIAMIS

♦ De l'algonquin-chippewa *Omaugeg*, "hommes de la péninsule". Les Blancs les nommaient Twight Wees, de leur nom *Twah twah*.

♦ Langue : algonquian.

♦ Semi-nomades, agriculteurs et chasseurs de bisons. Originaires du Wisconsin, ils occupèrent le nord de l'Indiana et de l'Illinois. Constitués en tribus plus ou moins autonomes (Weas, Piankashaws...).

♦ Après le départ de leurs alliés français, ils suivirent les initiatives de Joseph Brant, Tecumseh et Little Turtle ("Petite Tortue", lui-même Miami) dans la résistance et la lutte contre la spoliation de leurs terres.

♦ Leurs descendants occupent une réserve dans l'Oklahoma avec les Peorias.

D'après Gwillim Simloe, 1790.

Chasse au bison.

Au sud du lac Michigan, dans les Etats actuels de l'Indiana et de l'Illinois, vivaient d'autres tribus de langue algonquine. Miamis et Illinois étaient des peuples semi-nomades pratiquant l'agriculture et la chasse aux bisons, comme leurs voisins du Nord.

Au sud de la région de la Grande Forêt, occupant la riche vallée de l'Ohio, les Shawnees étaient surtout agriculteurs. Ils entretenaient de bonnes relations avec les Delawares à l'est et les Creeks au sud.

Après avoir, comme les autres tribus algonquines, opté pour l'alliance avec la France, les Shawnees furent pris dans la tourmente des guerres incessantes qui ensanglantèrent l'Est américain. C'est à travers la vallée de l'Ohio que refluèrent les Indiens du littoral atlantique chassés par l'implantation des colons anglais, puis, dès le début du XIXᵉ siècle, c'est par cette même vallée que les Blancs commencèrent une poussée vers la région du Mississipi... Cette seconde vague contraignit les Shawnees à abandonner, comme leurs frères, leurs terres et à fuir vers l'ouest, vers l'exil et le déclin. ▲

LES ILLINOIS

♦ Déformation française de leur nom indien *Iliniwek*, "homme".

♦ Langue : algonquian.

♦ Nord de l'Etat actuel de l'Illinois (auquel ils ont donné leur nom).

♦ Chasseurs de bisons, semi-nomades, ils constituaient une confédération de tribus : Peorias, Kaskaskias, Tamaroas, Cahokias, Michigameas, Moingwenas...

♦ Alliés aux Français, ils furent écrasés par les Iroquois en 1684. Le grand chef Ottawa Pontiac fut tué par un des leurs en 1769. En représailles, les Kickapoos lancèrent une campagne d'extermination : il ne restera que quelques centaines de survivants Illinois.

♦ Après la vente de leurs terres, s'exilèrent au Kansas. En 1854, un traité regroupa dans une réserve de l'Oklahoma les Peorias, Kaskaskias et les tribus Miamis, Weas et Piankashaws.

D'après George Catlin, 1830.

D'après Joseph Wabin, 1796.

LES SHAWNEES

♦ De l'algonquin *Shawun*, "le sud".

♦ Langue : algonquian.

♦ Vivaient dans la vallée de l'Ohio puis, à la fin du XVIIe siècle, migrèrent dans deux directions. Les uns en Pennsylvanie, près de leurs alliés Delawares, les autres vers la Géorgie et l'Alabama où ils seront connus sous le nom de Sawagonis.

♦ Agriculteurs sédentaires et chasseurs. Leurs champs et vergers étaient clôturés, leurs villages bien organisés. Les Shawnees étaient connus pour leur courage, leur gaieté et leur bon sens.

♦ Luttèrent avec opiniâtreté contre les Anglais, puis les colons américains. Leur chef Tecumseh infligea une défaite aux Américains à la bataille de la Wabash, le 4 novembre 1791. Mais, sous la conduite du général Wayne, ceux-ci prirent leur revanche à Fallen Timbers. Malgré les prophéties de Tenskwatawa, frère de Tecumseh, les Shawnees furent définitivement vaincus en 1813. Vingt ans plus tard, ils furent déportés au-delà du Mississippi.

♦ Leurs descendants vivent dans une réserve en Oklahoma.

LES GRANDES PLAINES

LES HOMMES DU BISON

La région des Plaines est un très vaste ensemble, unissant la partie méridionale des actuels Etats canadiens de l'Alberta, du Saskatchewan et du Manitoba à la zone côtière du golfe du Mexique. Elle est limitée à l'est par la vallée du Mississippi et à l'ouest par les montagnes Rocheuses, soit un territoire égal à cinq fois la superficie de la France. Dans cette immense étendue, le climat présentait diverses variations tant du fait des différences de latitude que des écarts d'hygrométrie : vallées du Missouri, de la Platte, de l'Arkansas, de la rivière Rouge alternant avec les zones arides du Dakota du Sud, du Wyoming, du Colorado ou du Texas.

Un animal donnait son unité à cette région, le bison, dont le troupeau (de 25 à 30 millions de têtes au début du XIXe siècle suivant les estimations des contemporains) poursuivait d'année en année sa ronde immuable : migration vers l'ouest et le nord au printemps, vers l'est et le sud à l'automne. C'est cette source inépuisable de nourriture que les Indiens, bien avant l'arrivée des Blancs, du cheval et des armes à feu, poursuivaient à travers la Grande Prairie.

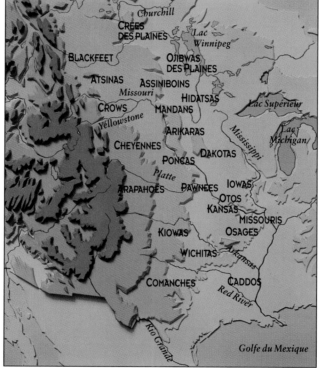

les conditions climatiques redevinrent normales, vers 1400, des peuples de langues différentes arrivèrent des quatre points cardinaux : Algonquins venus du Subarctique et de la zone des Grands Lacs, Sioux de la Grande Forêt, Athabascans du Nord, tribus de langues shoshonean et kiowan de l'ouest, d'autres encore, de langue caddoan des régions méridionales.

Dès lors, la plupart de ces peuples adoptèrent un mode de vie très identique : nomadisme de la tribu, poursuite permanente du gibier... La chasse devint l'activité primant toute autre : pour la recherche de nourriture, bien entendu, mais aussi pour se procurer les matériaux indispensables à la vie de la communauté — peaux et fourrures, corne et os, nerfs et graisse. Belle occasion pour les jeunes Indiens de perfectionner la confection et l'utilisation des armes, de développer leur résistance, d'affûter leur courage ; tentation aussi de transformer le chasseur en guerrier et d'en faire un "brave", cet adversaire redoutable qui allait, de façon mémorable, se dresser face à ses envahisseurs. ▲

Une espèce voisine des bisons, les "longues cornes", était déjà chassée par les hommes 8 500 ans avant J.-C., ainsi qu'en témoigne un site découvert près de Kit Carson dans le Colorado. Les animaux étaient piégés suivant une technique simple et efficace : agitant armes et torches enflammées, les chasseurs effrayaient un troupeau et le dirigeaient vers un fossé naturel ou au bord d'une falaise. Les bêtes chutaient les unes sur les autres avant d'être achevées à la lance. Au fil des millénaires, les "longues cornes" disparurent et les bisons trouvèrent dans les vastes herbages de la Prairie des conditions d'existence idéales. De nombreuses autres espèces partageaient leur aire de vie — antilopes pronghorns, cerfs, ours et toute sorte de petit gibier à plume et à poil. Les hommes occupant cet immense terrain de chasse subirent au XIIIe siècle une période de grande sécheresse et durent fuir vers des zones plus hospitalières. Dès que

Principal occupant de la grande plaine, le bison (Bison americanus), ou buffalo, fut menacé d'extinction et ne comptait plus qu'un millier de têtes en 1900. Désormais protégé, un troupeau d'environ 30 000 animaux vit en liberté dans les parcs nationaux (Wood Buffalo Park au Canada, Yellowstone aux USA).

D'après photographie, 1860.

D'après George Catlin, 1832.

D'après photographie, 1860.

LES BLACKFEET

◆ Nom issu de la couleur de leurs mocassins teints en noir (Blackfoot = pied-noir). Dans leur langue, *Siksika*.

◆ Langue : algonquian.

◆ Originaires du Saskatchewan, ils occupaient le nord du Montana et le sud de l'Alberta canadien.

◆ Etaient subdivisés en 3 groupes du nord au sud :

Les Siksikas, les Kainahs (de *Ahkainah*, "nombreux chefs") appelés aussi *Blood Indians* (Indiens du Sang) à cause de leur peinture faciale, et les Piegans (de *Pikuni*, "vêtus de mauvais vêtements").

◆ Guerriers très agressifs, les Blackfeet constituaient un peuple dominateur organisé en de nombreuses "sociétés" religieuses ou guerrières (telle la société *Ikunuhkahtsi*, "tous camarades"). Ils se divisaient en petites bandes nomades pour chasser et se réunissaient à la fin de l'été. Les Atsinas étaient sous leur protection.

◆ En lutte permanente avec les Kootenais, Flatheads et leurs voisins Sioux (Crows, Assiniboins), ils furent aussi de rudes adversaires des trappeurs. Leur domination déclina à partir de l'épidémie de variole qui les toucha en 1836.

◆ Population estimée à 15 000 en 1780 ; 10 000 environ de nos jours (pour moitié dans les réserves).

L'habileté et le courage des Indiens des Plaines étaient durement mis à l'épreuve lors de la chasse aux bisons. Hors la période des grands rassemblements d'animaux, les chasseurs procédaient par petits groupes : progressant à quatre pattes, dissimulés sous des peaux de loup, ils s'approchaient de leurs proies. Celles-ci, dotées d'un odorat subtil mais d'une très mauvaise vue, étaient habituées à la compagnie des coyotes et des loups, prédateurs naturels éliminant les faibles et les malades. La technique des chasseurs consistait à s'approcher au plus près pour décocher leurs flèches à coup sûr. Mais, s'ils dépassaient une limite raisonnable, ils pouvaient déclencher la charge d'un mâle... En ce cas, il restait à l'imprudent à ne pas trembler et à armer solidement son tir. D'autres fois, plus prudemment, l'approche se faisait par des chasseurs enduits de graisse animale et cachés sous des peaux de bisons. On pouvait alors limiter les risques et viser à bout portant au défaut de l'épaule pour atteindre le cœur. En hiver, comme les orignaux de la Grande Forêt et du Subarctique, les bisons, du fait de leur poids, devenaient très vulnérables dans la neige profonde : ils échappaient alors rarement aux coups des chasseurs équipés de raquettes.

La traque des bisons était "ouverte" toute l'année pour les Indiens, mais c'est en été qu'avaient lieu les grandes battues collectives. Les tribus utilisaient la technique ancestrale du rabat vers une rivière ou une dépression naturelle comme pour les "longues cornes" (un site en Alberta était encore utilisé au milieu du XIXe siècle par les Siksikas). Une fois la stratégie définie avec précision, la bonne exécution et la réussite de l'entreprise dépendaient de la discipline de chacun. Toute initiative personnelle prise par quelque jeune en mal de prouver sa bravoure était sévèrement punie, car un troupeau prématuré-

PIEDS-NOIRS
ET GROS-VENTRES

LES ATSINAS

♦ De *Atsena*, terme Blackfoot signifiant "hommes du ventre". Ils s'appelaient eux-mêmes *Haaninn* ou *Aaninena*, "hommes de l'argile blanche". Tribu issue des Arapahoes qui les appelaient *Hitunewa*, "mendiants". Pour les Français, ils étaient les Gros-Ventres (des Plaines) d'où confusion avec les Hidatsas, connus comme les Gros-Ventres (de la Rivière).

♦ Langue : algonquian.

♦ Venus du Manitoba, ils occupaient le nord du Montana, aux abords du Missouri.

♦ Chasseurs nomades.

♦ Furent, au même titre que les Blackfeet, de farouches opposants aux trappeurs et d'irréductibles adversaires des Sioux (Crows, Dakotas, Assiniboins) jusqu'en 1867 où ils s'allièrent aux Crows contre leurs protecteurs Blackfeet et furent sévèrement battus.

♦ 3 000 en 1780. Un millier environ de nos jours, dans une réserve du Montana (Fort Belknap) qu'ils partagent avec les Assiniboins.

D'après photographie, 1870.

ment alerté pouvait s'enfuir et priver la collectivité des ressources attendues. Il n'était en effet pas question, sans risque de déclencher un conflit, de chasser au-delà des limites du territoire de la tribu. Afin d'écarter le spectre de la famine et de reconstituer des réserves pour l'hiver, la période de la chasse s'ouvrait sur des cérémonies rituelles, des prières et des purifications afin d'obtenir la bienveillance et la protection des esprits, ainsi la danse du Bison.

Avec l'arrivée des Européens, les Indiens des Plaines firent deux acquisitions qui allaient bouleverser leurs techniques de chasse : le cheval puis les armes à feu. Avec le premier, les chasseurs n'eurent plus à ruser pour approcher les troupeaux. Galopant à côté des bisons, ils décochaient leurs volées de flèches ; un fusil en main, ils gagnèrent encore en efficacité. Hélas, ils n'étaient plus seuls à chasser et, en quelques décennies, l'immense troupeau sauvage qui peuplait la prairie fut exterminé. ▲

Chasse traditionnelle au bison.

AUTOUR DES CHEYENNES

LES CHEYENNES

◆ Du dakota *Sha Hi'yena*, "peuple d'une langue étrangère". Leur propre nom était *Dzitsi'stas*, "notre peuple". Par simplification phonétique, les Français les appelèrent les "Chiens". Pour d'autres tribus indiennes, ils étaient "les hommes balafrés" (Arapahoes) ou "les flèches rayées" (Shoshones, Comanches).

◆ Langue : algonquian.

◆ Venus du sud des Grands Lacs à la fin du XVIIᵉ siècle, ils s'installèrent dans le Dakota du Sud (région des Black Hills).

◆ Chasseurs de bisons et de daims, les Cheyennes étaient respectés pour leur haute taille, leur intelligence et leur indomptable courage.

◆ Ils furent durement frappés en 1849 par le choléra. Menèrent une guerre intense contre les Blancs de 1860 à 1878, marquée par le massacre de Sand Creek (1864) où 300 femmes et enfants Cheyennes furent tués. Défaits par Custer sur la Washita (1868). Alliés aux Sioux Oglalas, Hunkpapas et Santees, les Cheyennes se vengèrent à Little Bighorn (25 juin 1876).

◆ Une réserve dans le Montana et une en Oklahoma avec les Arapahoes. Population estimée à environ 3 000 en 1780. Pourraient être aujourd'hui 5 à 6 000.

D'après une gravure anonyme, 1840.

D'après une photographie, fin XIXᵉ s.

Pour ces communautés nomades, les bisons fournissaient l'alimentation et tous les matériaux nécessaires à la vie quotidienne. Les mâles pesaient plus d'une tonne, les femelles de 650 à 800 kilos. La chair pouvait être consommée fraîche ou séchée (*jerky*). Le *pemmican* était préparé avec cette viande séchée, réduite en poudre et mélangée avec de la graisse, de la moelle et des baies. Conditionné sous forme de saucisses (vessie ou intestin de bison), le pemmican se conservait pendant des années et constituait une réserve alimentaire particulièrement énergétique.

Les Indiens parvenaient à tirer profit de toute la carcasse de l'animal :
• avec la peau, ils fabriquaient des boucliers (pour les parties les plus épaisses comme le garrot), ils confectionnaient des vêtements, des mocassins ou des couvertures avec les cuirs plus fins. Les autres morceaux, assemblés, servaient à couvrir les tipis.
• avec les os, suivant forme et grosseur, ils fabriquaient des pelles (omoplates), des manches de tomahawk ou des arceaux de canot (côtes), des récipients (crânes) et divers outils (grattoirs, alênes...). Les plus gros étaient cassés et la moelle qu'ils contenaient recueillie pour la préparation du pemmican ; les petits éclats utilisés comme pointes de flèche.
• avec les cornes, on ornait les coiffures des chamans ou celles des guerriers les plus valeureux. On s'en servait encore pour la fabrica-

tion de certains arcs ou comme réserve à herbes.
Aucune partie de l'animal n'était oubliée, chacune répondant à un besoin : les dents (petits outils), la cervelle (assouplissement des peaux), les sabots (bouillis, ils entraient dans la confection d'une colle pour durcir les boucliers), la vessie (pemmican), les intestins (cordes des arcs), la queue (chasse-mouches), même la bouse des bisons était utilisée comme combustible.
La prairie était une région giboyeuse et deux autres cibles de choix s'offraient aux flèches des Indiens : le cerf de Virginie et l'antilope pronghorn. Cette dernière était aussi méfiante que rapide... mais l'importance de son troupeau, supérieur en nombre à celui des bisons, laissait quelque chance aux chasseurs. ▲

Peuples algonquins du Subarctique et de la Grande Forêt, les Crees et les Ojibwas occupaient des territoires jouxtant les Grandes Plaines ; des bandes de ces deux tribus adoptèrent progressivement la culture des plaines en s'adonnant à la chasse aux bisons. On les distingue par les termes de Crees des Plaines et Ojibwas des Plaines.

D'après George Catlin, 1845.

D'après George Catlin, 1845.

LES CREES DES PLAINES

◆ Alliés des Assiniboins contre leurs ennemis communs Siksikas et Dakotas. Certains participèrent avec leurs chefs Poundmaker et Bigbear et les Assiniboins à la révolte des Bois Brûlés (1885) qui avaient établi un gouvernement provisoire du Saskatchewan.

◆ Population estimée à env. 4 000 au milieu du XIXᵉ siècle ; leurs descendants ont rejoint les Crees des Forêts (voir p. 88) dans leur réserve ou se sont mêlés à d'autres tribus.

LES OJIBWAS DES PLAINES

◆ Culturellement séparés de leurs frères des Forêts (voir p. 26) depuis le début du XVIIIᵉ s., les Ojibwas des Plaines étaient alliés aux Crees et aux Assiniboins.

◆ Estimée à 1 500 en 1850, leur population est impossible à évaluer de nos jours.

LES ARAPAHOES

◆ Du pawnee *Tirapihu* ou *Carapihu*, "commerçants". Eux-mêmes s'appelaient *Invna-ina*, "notre peuple". Pour leurs alliés Cheyennes, ils étaient les "hommes du ciel" (*Hitanwo'iv*).

◆ Langue : algonquian.

◆ Furent d'abord sédentaires. Venus du Manitoba, ils franchirent le Missouri et migrèrent vers le sud et le Wyoming où ils adoptèrent le nomadisme des chasseurs de bisons.

◆ Aux côtés des Cheyennes, luttèrent contre les Dakotas, les Kiowas et les Comanches jusqu'au traité de paix de 1840. Furent ensuite en guerre contre les Shoshones, les Utes et les Pawnees. Les Arapahoes participèrent avec les Cheyennes et les Sioux aux luttes contre les Blancs jusqu'au traité de Medecine Lodge (1867) et leur exil vers l'Oklahoma.

◆ 3 000 à la fin du XVIIIᵉ siècle. Evaluation incertaine aujourd'hui (peut-être 4 000 à 5 000) dans deux réserves (l'une au Wyoming et l'autre en Oklahoma avec des Cheyennes).

D'après une photographie, 1880.

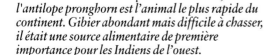

Capable de pointes de vitesse supérieures à 60 km/h et de bonds de plus de six mètres, l'antilope pronghorn est l'animal le plus rapide du continent. Gibier abondant mais difficile à chasser, il était une source alimentaire de première importance pour les Indiens de l'ouest.

D'après George Catlin, 1834.

LES SIOUX DHEGIHAS

LES OSAGES

♦ Corruption par des commerçants français de leur nom, *Wazhazhe*.

♦ Langue : siouan.

♦ Sud du Missouri et nord de l'Arkansas.

♦ La plus importante tribu des Dhegihas. Organisation identique aux autres tribus du groupe : descendance par les pères, interdiction de mariage entre membres du même clan, spécialisation des clans dans leur activité au service de la communauté. La tribu était partagée en deux moitiés : celle de la guerre et celle de la paix.

♦ Jacques Marquette les rencontra en 1673. Furent alliés des Français pour vaincre les Foxes en 1714. Se signalèrent ensuite par une intense activité guerrière, leur nom devenant synonyme d'"ennemi" pour les autres Indiens. En 1802, des commerçants français les persuadèrent de remonter le cours de l'Arkansas pour s'installer dans ce qui allait devenir l'Oklahoma. Subirent successivement la venue des tribus chassées de l'est du continent et l'invasion des émigrants blancs. D'abord établis dans une réserve au Kansas, ils s'installèrent définitivement en Oklahoma en 1870.

♦ 6 200 en 1780 ; 6 743 en 1985.

Groupe de tribus de langue siouan du centre de la région des plaines, les Dhegihas ("sur ce côté") seraient venus de la vallée de l'Ohio vers 1500 et comprenaient, au nord, les tribus Omaha, Ponca, Osage, Kansa et, au sud, sur le cours inférieur de l'Arkansas, la seule tribu Quapaw. Ces Indiens étaient semi-nomades et conjuguaient la culture du maïs et la chasse aux bisons.

Tatouages, peintures faciales et corporelles étaient connus dans tout le monde indien pour leurs "vertus protectrices". Le guerrier des plaines y voyait aussi le moyen d'impressionner ses adversaires par un système de marquage témoignant de sa bravoure et de ses exploits. Souvent, le cheval du guerrier était également décoré pour vanter ses propres qualités et les mérites de son cavalier. Dans les formes traditionnelles de combat, le scalp pris sur l'ennemi mort ou blessé était signe d'exploit, tout comme le vol de chevaux lui appartenant. Mais le "coup" avait encore plus de prestige aux yeux du guerrier : chacun cherchait à toucher son adversaire du bout de son "bâton à coups", perche recourbée en crosse à une extrémité, parfois enrobée de fourrure et décorée de plumes témoignant des faits d'armes déjà accomplis. A l'âge du commerce avec les Blancs, les Indiens des plaines se procurèrent des pointes de lances et de flèches en métal. Pour le gibier, ils utilisaient des pointes simples, solidement fixées, qui pouvaient être récupérées et réutilisées. Les armes de guerre, par contre, étaient munies de pointes "barbelées" qui se détachaient et restaient dans la blessure. Les guerriers affectionnaient aussi les armes de poing : massues, casses-tête, haches et *tomahawks* au manche creux qui permettaient de fumer le tabac placé dans un foyer intégré à la lame. ▲

IOWA

BLACKFOOT

PAWNEE

TETON

Peintures de guerre, d'après George Catlin et Karl Bodmer.

LES PONCAS

♦ Nom à la signification inconnue.

♦ Langue : siouan.

♦ Confluent des rivières Niobrara et Missouri dans le Nebraska.

♦ Issus de la tribu Omaha, ils avaient le même mode de vie.

♦ Furent vaincus par leurs ennemis Dakotas et déportés en 1877 vers l'Oklahoma. Une minorité refusa de quitter son territoire dont une partie devint réserve en 1889.

♦ Population estimée à 800 en 1780. Il y avait 401 Poncas au Nebraska en 1944 et 2 272 en Oklahoma en 1985.

D'après une photographie, 1875.

D'après photographie, 1870.

LES OMAHAS

♦ "Ceux qui marchent contre le vent."

♦ Langue : siouan.

♦ Nord-est du Nebraska, sur la rive ouest du Missouri.

♦ Leurs villages étaient faits d'abris recouverts de terre ou d'écorce. Quand ils chassaient le bison, ils adoptaient les tipis comme les autres tribus des prairies.

♦ En conflit avec les Dakotas, ils eurent de bons rapports avec les Blancs. Vendirent leurs terres en 1854, à l'exception d'une parcelle qui devint leur réserve, amputée en 1865 d'une surface attribuée aux Winnebagos.

♦ 2 800 en 1780, ils étaient 1 300 en 1970.

D'après George Catlin, 1832.

LES KANSAS

♦ Du nom d'un de leurs clans. Signifierait "peuple du vent du sud".

♦ Langue : siouan.

♦ Etablis dans l'est de l'Etat qui porte maintenant leur nom.

♦ Mode de vie identique aux autres tribus Dhegihas.

♦ Furent sans doute en contact avec Coronado dès 1541. Marquette les rencontra en 1673. Assignés dans une réserve à Topeka (Kansas) en 1846, leur espace fut progressivement repris par le gouvernement fédéral. Furent ensuite déplacés vers l'Oklahoma dans une nouvelle réserve proche des Osages.

♦ 3 000 en 1780 suivant les estimations, 543 en 1985 (en Oklahoma).

LES SIOUX CHIWERES

D'après photographies de
la mission Simonin, 1868.

LES OTOS

♦ De *Wat'ota*, traduit par "libertin" ; pourrait plus vraisemblablement signifier "lascif" ou "inconstant". Eux-mêmes s'appelaient *Chewaerae*.

♦ Langue : siouan.

♦ Etablis au Nebraska, sur le cours inférieur de la Platte.

♦ Semi-nomades cultivateurs et chasseurs.

♦ Dans leur migration vers l'ouest, ils se seraient d'abord séparés des Iowas puis des Missouris. Visités par Cavelier de la Salle en 1680. Cédèrent leur territoire en 1854. Quand leur réserve sur la rivière Big Blue fut vendue en 1881, ils partirent pour l'Oklahoma où ils partagèrent des réserves avec les Poncas, les Pawnees et les Missouris.

♦ De 900 en 1780, ils étaient 1 280 en 1985.

Les Chiweres, "Ceux qui appartiennent à cette terre", regroupent les tribus Iowa, Missouri et Oto. Au XVᵉ siècle, il semble qu'ils formaient avec les Dhegihas et les Winnebagos une nation importante au nord des Grands Lacs. Dans leur migration vers le sud, ils laissèrent en route les Winnebagos sur les bords du lac Michigan et se séparent des Dhegihas. Conservant certaines traditions de la Grande Forêt, ils optèrent pour un semi-nomadisme associant agriculture et chasse aux bisons.

Pendant plus de cinq siècles, la Grande Plaine fut parcourue en tous sens par les tribus nomades. Entre elles et dans leurs rapports avec les Indiens venus de régions limitrophes (Nez-Percés, Shoshones, Apaches...) se pratiquaient des dialectes appartenant à sept grandes familles linguistiques (algonquian, siouan, caddoan, shoshonean, kiowan, penutian, athabascan) d'où une grande difficulté pour communiquer quand les intentions étaient autres que guerrières. La réponse fut la mise au point d'un langage par signes, sorte d'esperanto gestuel permettant de partager des informations ou de commercer. Ainsi Blackfeet, Crows, Pawnees, Comanches, Kiowas,

Nez-Percés, Apaches purent-ils échanger autre chose que des flèches ou des coups de tomahawk. Ce mode de communication était pratiqué avec une grande célérité, les signes s'enchaînant rapidement les uns derrière les autres. Les trappeurs d'abord, les soldats ensuite se familiarisèrent avec ce langage indispensable pour développer le commerce ou établir des relations de confiance. Tout porte à croire qu'ils n'en ont pas suffisamment usé pour mieux connaître et comprendre les Indiens des plaines.

Entre elles, les tribus utilisaient de nombreux signaux conventionnels :

• Signaux de fumée en couvrant ou en découvrant un feu de branches et d'herbes, signaux de miroirs, de flèches enflammées, de couvertures agitées, de mouvements de chevaux.

• Signes de piste laissés par les éclaireurs : pierres ordonnées suivant un code, marques dans l'écorce des arbres, herbes nouées ou branches cassées. ▲

Langage des signes.

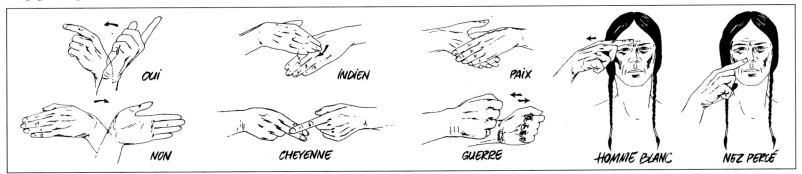

OUI · INDIEN · PAIX · HOMME BLANC · NEZ PERCÉ
NON · CHEYENNE · GUERRE

44

D'après George Catlin, 1832.

LES MISSOURIS

♦ De l'algonquian illinois signifiant "ceux qui ont des pirogues". Une autre version propose "grande rivière boueuse", attribuée à la rivière Missouri. Eux-mêmes s'appelaient *Niutachi*.

♦ Langue : siouan.

♦ Vivaient dans le Missouri actuel, près du confluent des rivières Grand et Missouri.

♦ Semi-nomades cultivant maïs, haricots et courges et chassant les bisons.

♦ Rencontrés par Marquette (1693), ils subirent une lourde défaite des Sauks et Foxes en 1798. Furent ensuite vaincus par les Osages au début du XIXᵉ siècle, avant de se fondre dans les tribus Iowa et Oto.

♦ Population estimée à 1 000 individus en 1780 ; évaluation impossible de nos jours.

LES IOWAS

♦ Du dakota *Ayuhwa* : "ceux qui dorment". Peut aussi venir de *Ai'yuwe*, "courgette".

♦ Langue : siouan.

♦ Selon des négociants français, ils étaient très habiles commerçants et cultivateurs. Evaluaient leurs richesses en peaux de bisons et en calumets dont ils étaient des sculpteurs réputés.

♦ Au contact des Français (Marquette en 1674, Lemoyne d'Iberville en 1702). Réserve au Kansas en 1836 puis en Oklahoma en 1683.

♦ 1 100 en 1760. En 1985, il y avait 500 Iowas en Oklahoma, Kansas et Nebraska.

D'après George Catlin, 1844.

Langage des signes.

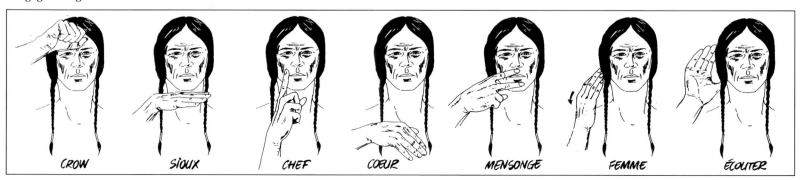

CROW   SIOUX   CHEF   CŒUR   MENSONGE   FEMME   ÉCOUTER

Au Long du Missouri

L'Indien croyait le monde peuplé de puissances maléfiques qu'il fallait redouter, ou bénéfiques qu'il fallait honorer. Le tonnerre, les éclairs étaient les mouvements d'humeur de ces puissances ; le froid, la sécheresse, la rançon à payer pour mériter les bienfaits de la nature : le renouveau du printemps, l'eau des ruisseaux, les fruits des arbres... L'Indien vivait en harmonie avec la nature et chacun de ses actes était teinté de sacré. Si les bisons étaient nombreux dans la plaine, c'est parce que les esprits avaient exaucé les prières du chasseur. Il fallait évoquer ces esprits avec ferveur pour que rien ne vienne troubler le bel ordonnancement des choses, pour que le soleil se lève chaque matin, que le printemps succède à l'hiver, que la chasse soit fructueuse ou la récolte abondante. Accordant une grande importance à ses songes, l'Indien recherchait cet état second propice aux visions et hallucinations. Les Mandans pratiquaient des rites initiatiques impressionnants lors de l'*Okeepa* : des jeunes, après avoir été balafrés sur le dos, les épaules et les jambes, étaient suspendus au faîte de la hutte des cérémonies par des chevilles de bois perçant les muscles de la poitrine et des bras. D'autres rituels marquaient la récolte du maïs. La pratique des sudations prolongées était fréquente dans les tribus des plaines comme en d'autres régions. Les séances avaient lieu dans des abris (*onikaghe* ou *sweat lodges*) réservés à cet usage. Les femmes jetaient de l'eau sur des pierres disposées au-dessus d'un feu, provoquant une abondante vapeur. Immobile, transpirant, privé de nourriture, l'Indien attendait le moment où, à la limite de la syncope, arriveraient les hallucinations. De l'interprétation de ces visions dépendait toute décision importante pour lui-même ou sa tribu : guerre, chasse, migration du village...

Au terme de l'adolescence, l'Indien devait se retirer pendant plusieurs jours en observant un jeûne absolu. Le premier animal qu'il voyait en rêve deviendrait son protecteur ; il ne devrait plus jamais tuer un spécimen de cette espèce mais s'en inspirer pour constituer sa médecine. Cette *médecine* (déformation du mot algonquin *midewiwin*) était un ensemble de petits objets, talisman que chaque guerrier portait sur lui. Elle lui était indispensable, non pour se soigner, comme la traduction le laisserait supposer, mais pour se protéger et y trouver les présages qui guideraient ses décisions.

Surnommé à tort sorcier par les Blancs, le chaman était censé détenir le pouvoir de communiquer avec les forces invisibles qui entourent l'humanité. Personnage important, disposant de prestige et d'influence, il vivait seul, redouté, à l'écart, soumettant son corps à diverses épreuves de purification, voire à des mutilations. L'une des tâches du chaman consistait à soigner les malades. Les Indiens pensaient que les maladies étaient une punition ou une vengeance des forces maléfiques. Apaiser la douleur signifiait donc vaincre les démons et le chaman disposait pour cela d'un arsenal hétéroclite d'objets et de produits. Une autre de ses missions était de discerner les bons et les mauvais présages délivrés par les esprits dont dépendaient parfois de graves décisions et le sort de la tribu. ▲

D'après Karl Bodmer, 1833.

Les Mandans

◆ Corruption d'un terme dakota : *Mawatani* qui les désignait. Eux-mêmes s'appelaient *Numakaki* : "les hommes".

◆ Langue : siouan.

◆ Dakota du Nord, sur les bords du Missouri, entre les confluents des rivières Little Missouri et Heart.

◆ Associaient une vie sédentaire de cultivateurs de maïs et de chasseurs de bisons. Ils étaient aussi d'habiles potiers. Leur position sur le Missouri faisait de leurs villages un lieu d'échange entre tribus du nord et du sud et, plus tard, entre négociants blancs et Indiens pour le commerce des fourrures. Organisés en deux demi-tribus, les Mandans étaient étroitement liés aux Hidatsas et aux Arikaras.

◆ Venus des Grands Lacs vers le XIVe siècle (probablement issus d'une grande nation Winnebago), ils furent parmi les premiers Sioux à s'installer dans la Grande Plaine. Visités par La Verendrye en 1738, par Lewis et Clark en 1804, puis par les peintres George Catlin et Karl Bodmer en 1832 et 1833. L'épidémie de variole de 1837 les toucha durement, ne laissant que 128 survivants (23 hommes, 40 femmes et 65 enfants).

◆ 3 600 en 1780, 1 600 en 1837 avant l'épidémie, 705 en 1970 dans la réserve de Fort Berthold, autour du lac Sakakawea (Dakota du Nord), avec les Hidatsas et les Arikaras.

D'après Karl Bodmer, 1833.

LES HIDATSAS

♦ "Saules", du nom d'un de leurs villages.

Les Mandans les appelaient *Minitaris* : "ceux qui ont traversé l'eau", en référence à leur première rencontre sur les bords du Missouri. Pour les trappeurs français, ils étaient les Gros-Ventres de la Rivière (d'où confusion possible avec les Atsinas).

♦ Langue : siouan.

♦ Très liés aux Crees dont ils étaient issus.

♦ Voisins des Mandans sur le Missouri, ils avaient le même mode de vie. Ne pratiquaient pas l'*Okeepa* mais la danse du Soleil, également marquée par des tortures corporelles. Leurs sociétés étaient prépondérantes : *Soldat du Chien* pour les hommes, *Société du Bison Blanc* pour les femmes...

Reçurent les mêmes visiteurs que les Mandans. Furent également atteints par l'épidémie de variole.

♦ 2 500 en 1780, 731 en 1937 à Fort Berthold (Dakota du Nord).

Type d'abri commun aux Mandans et Hidatsas.

D'après une peinture, 1840.

D'après une gravure, début du XIXᵉ s.

LES CROWS

♦ Leur propre nom était *Absaroke*, "le peuple de l'oiseau". Les Français les appelaient "Gens du Corbeau", d'où leur nom anglais.

♦ Langue : siouan.

♦ Installés au Montana sur le cours de la Yellowstone et de ses affluents : Bighorn, Rosebud et Powder et, plus au sud, la rivière Wind au Wyoming.

♦ Séparés des Hidatsas vers 1776, les Crows étaient un peuple fier, belliqueux, méprisant pour les Blancs, se consacrant à la chasse aux bisons. Leur élégance les fit surnommer par les Français "les Brummels du monde indien". Possédaient environ 10 000 chevaux.

♦ Visités par Lewis et Clark en 1804, les Crows étaient en guerre permanente avec les Siksikas et les Dakotas. Servirent comme éclaireurs pour la cavalerie américaine.

♦ 4 000 en 1780. Près de 6 000 en 1985 dans une réserve sur le cours de la rivière Bighorn (Montana).

LES "MANGEURS DE MAÏS"

D'après George Catlin, 1832.

LES ARIKARAS

♦ Du pawnee/skidi *Ariki* : "corne" en référence à leur coiffure. Leur propre nom était *Tanish* ou *Sannish* : "les hommes". En langage par signes, ils étaient les "mangeurs de maïs".

♦ Langue : caddoan.

♦ Rives du Missouri entre la rivière Cheyenne et Fort Berthold (Dakota du Nord), au voisinage des Mandans et des Hidatsas.

♦ Bien que de langue différente, les Arikaras étaient proches des Mandans et des Hidatsas par leur mode de vie : huttes en terre, villages entourés de palissades, culture du maïs.

♦ A la fin du XVIIIᵉ siècle, ils entretinrent de bonnes relations commerciales avec les Français. Furent visités par Lewis et Clark en 1804. Mêlés à des conflits entre négociants en fourrures, ils se trouvèrent aussi sur la route des émigrants vers l'ouest. Les Dakotas et la variole (1837 et 1856) achevèrent de les anéantir. En 1880, Arikaras, Mandans et Hidatsas furent regroupés dans la réserve de Fort Berthold (Dakota du Nord).

♦ 3 000 en 1780. 460 en 1970.

Abri Caddo.

D'après une gravure, début du XIXᵉ s.

LES CADDOS

♦ Abréviation de *Kadohadacho* (une des tribus de la confédération Caddo) signifiant "les vrais chefs". Les Caddos se désignaient eux-mêmes sous le nom de *Hasinaï* : "notre propre culture".

♦ Langue : caddoan.

♦ Sud-ouest de l'Arkansas et nord-est du Texas.

♦ Agriculteurs sédentaires pratiquant aussi la chasse aux bisons.

♦ Les Caddos s'opposèrent en 1541 à de Soto qui reconnut leur bravoure, puis, en 1687, rencontrèrent les survivants de l'expédition de Cavelier de la Salle. Lemoyne d'Iberville les gagna à l'influence française au début du XVIIIᵉ s. Les Caddos s'opposèrent ensuite aux Choctaws puis en furent les alliés contre les Osages (fin XVIIIᵉ s.). En 1835, ils abandonnèrent leurs terres au gouvernement US et s'établirent au Texas. Durant la guerre de Sécession, restés fidèles à l'Union, ils furent déplacés au Kansas. Furent enfin réinstallés dans une réserve de l'Oklahoma avec les Wichitas (1902).

♦ Environ 2 000 au XVIIIᵉ siècle. 967 en 1937.

Les Indiens faisaient un large usage du tabac mélangé à d'autres végétaux : laurier, écorce intérieure de cornouiller, saule pourpre, peuplier, bouleau. C'était pour eux un moyen efficace de se troubler l'esprit et de se rapprocher des dieux. L'usage du calumet était un rite propice à la réflexion, que l'on pouvait partager entre amis dans une ambiance de paix. Se passer le calumet de main en main, chacun tirant une bouffée, était la meilleure marque de confiance, la bonne façon pour sceller un pacte.

L'Indien des plaines maintenait le contact avec le monde des esprits par de nombreuses cérémonies avec incantations et offrandes... mais c'est par la danse qu'il parvenait à cet état où l'on semble échapper aux contraintes humaines. Ainsi lors de la célèbre danse du Soleil qui donnait lieu à des épreuves ou des mutilations volontaires. Les Indiens n'avaient pas peur de l'au-delà. L'autre monde était semblable au leur et les hommes s'y retrouvaient rassemblés selon la façon dont ils étaient morts : un guerrier tué au combat ne pouvait, à l'évidence, côtoyer sur les terrains de chasse de l'éternité un homme mort de vieillesse.

La mort d'un guerrier provoquait des manifestations évidentes de douleur ; son épouse se frappait la poitrine, se coupait les cheveux et s'infligeait de cruelles blessures. Certaines tribus abandonnaient le corps dans une caverne ou à la fourche d'un arbre, mais la plupart des peuples des plaines dressaient une plate-forme où le corps se décomposait lentement. Les chevaux préférés du défunt étaient tués pour l'accompagner dans l'au-delà ; ses armes, ses outils, ses biens étaient brûlés. ▲

D'après George Catlin, 1834.

LES WICHITAS

♦ Selon les sources, de *Wits* : "hommes" ou du choctaw *Wiachitoh* : "grand arbre" (allusion à leur habitation). Eux-mêmes se donnaient le nom de *Kirikitishs* (sans doute "les vrais hommes").

♦ Langue : caddoan.

♦ Wichita Mountains en Oklahoma.

♦ Venus du Sud, ils étaient cultivateurs de maïs, de courges et de tabac dont ils faisaient commerce avec les autres tribus. Devinrent chasseurs de bisons. Honnêtes et hospitaliers, ils étaient sensibles à la moindre offense.

♦ Les Wichitas étaient au Kansas quand Coronado les croisa en 1541. Premier traité en 1835 avec le gouvernement fédéral ; demeurèrent en Oklahoma jusqu'au début de la guerre de Sécession puis furent déplacés au Kansas. En 1867, ils retournèrent définitivement en Oklahoma dans la réserve Caddo.

♦ 3 200 en 1780. 460 en 1970.

Abri wichita.

Calumet Sioux en catlinite et bois.

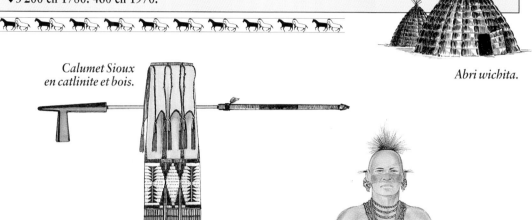

Sac à calumet Cheyenne, milieu du XIXe s.

D'après George Catlin, 1832.

LES PAWNEES

♦ De *Paariki*, "cornu", allusion à leur coiffure, ou de *Parisu*, "chasseur". Eux-mêmes s'appelaient *Chahiksichahiks* : "hommes des hommes".

♦ Langue : caddoan.

♦ Cours moyen de la rivière Platte au Nebraska.

♦ Divisés en quatre tribus, les Pawnees étaient des semi-nomades vivant dans des abris de terre. Comme les Mandans, ils se partageaient entre la culture du maïs et la chasse aux bisons.

Pratiquaient des rites religieux complexes où les éléments naturels (le vent, le tonnerre, les éclairs, la pluie) étaient les messages envoyés par Tirana, la force supérieure. Une série de cérémonies ponctuait la croissance du maïs avec des sacrifices humains (généralement une captive Comanche). Ils connaissaient la vannerie, la poterie et le tissage.

♦ Venus du sud, ils occupèrent la plaine avant l'arrivée des Sioux. Coronado les rencontra en 1541. Au début du XVIIIe s., les Pawnees furent alliés aux Français pour commercer et contrer la pression espagnole. Ils s'épuisèrent au XIXe siècle dans leurs luttes contre les Dakotas. Fournirent des éclaireurs aux armées US. Cédèrent leurs terres par traités et s'installèrent en Oklahoma.

♦ Environ 10 000 en 1780. 1 149 en 1970.

D'après George Catlin, 1832.

LE GRAND CHEMIN

D'après George Catlin, 1834.

Fin XIXᵉ Siècle.

LES COMANCHES

♦ Selon les sources, leur nom viendrait de l'espagnol *camino ancho*, "grand chemin", ou du terme ute *koh-maths*, "ennemi". Eux-mêmes s'appelaient *Ne-me-ne* ou *Nimenim* : "le peuple".

♦ Nord-ouest du Texas.

♦ Nomades chasseurs de bisons, se livrant à l'occasion à l'agriculture. Réputés pour leurs talents de cavaliers, leur courage, leur impétuosité, leur sens de l'honneur et leur conviction d'être des hommes supérieurs.

♦ Originaires de l'est du Wyoming (où ils étaient liés aux Shoshones). Migrèrent insensiblement vers le sud. Pendant le XVIIIᵉ s., combattirent Espagnols et Apaches avant de s'en prendre aux Américains. Forts de leur alliance avec les Kiowas, ils multiplièrent pillages et meurtres au début du XIXᵉ s. Après plusieurs accords non respectés, les Comanches acceptèrent (traités de 1865 et 1867) le retrait dans une réserve en Oklahoma... mais ils continuèrent leurs raids jusqu'à leur défaite en 1874-1875.

♦ Population estimée à 7 000 individus en 1700 ; 3 600 en 1985.

D'après George Catlin, 1834.

LES KIOWAS

◆ De leur propre nom *Ga-i-gwy* ou *Ka-i-gwy*, "peuple dominateur".

◆ Langue : kiowan (isolat linguistique caractérisé par des sons étouffés).

◆ Au milieu du XVIIIᵉ s., occupaient un territoire recoupé par les Etats de l'Oklahoma, du Kansas, du Colorado, du Nouveau-Mexique et du Texas.

◆ Chasseurs de bisons nomades, ils étaient sombres d'expression et lourdement bâtis. La tribu Kiowa est la seule à avoir tenu une chronique bisannuelle à base de pictogrammes (de 1832 à 1892).

◆ Avant le XVIIIᵉ siècle, les Kiowas occupaient un territoire situé dans le Montana sur le cours de la rivière Yellowstone (d'où leurs liens très amicaux avec les Crows). Dès qu'ils eurent des chevaux à disposition, ils migrèrent vers le sud en chassant le bison. En 1804, Lewis et Clark les situaient sur la rivière North Platte. En atteignant l'Oklahoma, ils firent alliance avec les Kiowa-Apaches et leurs anciens ennemis Comanches. Considérés comme les plus agressifs des Indiens des Plaines, ils furent d'irréductibles adversaires pour les Américains.

◆ 2 000 en 1780. 4 000 en 1985, en Oklahoma.

D'après George Catlin, 1834.

Dans le premier tiers du XIXᵉ siècle, chacun admettait que cette vaste zone au centre du continent, ce grand "désert américain", était inhospitalier et impropre à la colonisation. Cela aurait pu ménager, et pour longtemps, la tranquillité des Indiens des Plaines s'ils n'avaient pas, déjà à l'époque, payé un lourd tribut à la présence européenne sur le continent. Dès 1780 et sans interruption jusqu'à la fin du XIXᵉ siècle, de graves épidémies de variole frappèrent les tribus : Tetons (1780), Omahas (1802), Comanches (1815), Osages (1828), Pawnees (1831), Mandans (1837), Crows (1845), Iowas (1848), Arikaras (1856), Kiowas, Cheyennes, Arapahoes (1861), Assiniboins, Atsinas, Blackfeet (1871), pour ne citer que les plus importantes. Certaines tribus disparurent presque totalement (Mandans), d'autres furent amputées du quart, de la moitié, voire des deux tiers de leurs effectifs. Les maladies transmises par les Blancs tuèrent plus d'Indiens que les balles des fusils.

Parallèlement, d'autres événements s'enchaînèrent, contribuant à précipiter le déclin des Indiens des Plaines : exode des tribus de l'Est vers l'Oklahoma et empiétant sur le territoire des Osages, Kiowas et Wichitas, afflux des colons sur la piste de l'Oregon (à partir de 1843) ou vers la Californie (dès la découverte de l'or en 1848), migration des Mormons (1846), développement des liaisons entre l'Est et l'Ouest (Pony-Express en 1860, diligences de la Wells-Fargo

Sitting Bull ("Taureau assis", de son vrai nom Tatanka Yotanka), né en 1831 (ou 1834), était un Sioux Hunkpapa. Homme-médecine, il devint chef de guerre contre les Blancs et fut le vainqueur de Custer à Little Bighorn (1876). Il fut assassiné le 15 décembre 1890.

Crazy Horse ("Cheval fou", de son vrai nom Tasunka Witko), né en 1842, fut un exceptionnel chef Oglala. Il participa aux côtés de Red Cloud à la lutte contre les Blancs. Se distingua à Rosebud et Little Bighorn (1876). Il fut tué peu de temps après sa reddition (7 septembre 1877).

en 1862), construction et mise en activité du "cheval de fer" (1862-1869), destruction du troupeau de bisons (consécutive à l'installation du chemin de fer), multiplication des implantations militaires fédérales... longue et tragique histoire dont la relation n'entre pas dans le cadre de cet ouvrage et qui trouva son épilogue à Wounded Knee en 1890 au terme des "guerres indiennes". Seuls quelques noms demeurent dans la mémoire collective pour témoigner de la folie des hommes : massacre de Sand Creek, batailles de la Washita, de Rosebud, de Little Bighorn... ▲

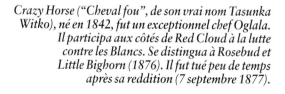

LE SUD-OUEST

LES HOMMES DU SERPENT

La région sud-ouest s'étend de part et d'autre de la frontière mexicano-américaine : au sud, au-delà du 30e parallèle, les provinces mexicaines de Sonora, de Chihuahua, de Coahuila et du Nuevo Leon, au nord les Etats de l'Arizona, du Nouveau-Mexique et la partie méridionale du Texas jusqu'au golfe du Mexique. Seule cette seconde partie nord-américaine est prise en compte pour respecter les limites définies pour cet ouvrage.

Le Sud-Ouest apparaît comme une terre de contrastes. Sous un ciel d'un bleu permanent s'offre au voyageur le spectacle d'un paysage grandiose où alternent montagnes, canyons, déserts, falaises en colonnes tronquées, plateaux posés sur le sable telles d'immenses barques retournées, les *mesas*... un paysage brossé en couleurs chaudes où se mêlent toutes les nuances du brun, de l'ocre, du rouge et du jaune. Les sommets sont recouverts de forêts de pins et de genévriers, les sables et les rochers du désert parsemés de cactacées et d'épineux. Parfois, un violent orage éclate, obscurcissant le ciel et transformant le lit asséché des cours d'eau, les *arroyos*, en torrents boueux. Le désert se métamorphose brusquement et se décore des millions de fleurs qui attendaient la pluie.

Il fait froid la nuit, mais le jour la chaleur est accablante. Les oiseaux — cailles huppées, moqueurs, pies grièches — partent dès l'aube pour se nourrir, puis se réfugient à l'ombre le reste de la journée. Les pécaris et les petits écureuils terrestres — les tamias — affrontent les heures les plus chaudes mais seuls quelques lézards comme le chuckawalla sont capables de rester immobiles sur le rocher brûlant. La vie nocturne est beaucoup plus intense : innombrables, les petits rongeurs sortent de leur terrier pour faire provision de graines, s'exposant ainsi aux coups des prédateurs — serpents, oiseaux de proie, mammifères carnassiers... passaris, blaireaux, renards, coyotes, chasseur ou chassé, chacun poursuivant plus faible ou plus petit que soi. Seuls les lynx et couguars ne craignent aucun adversaire.

Des fouilles effectuées en 1926 près de la ville de Cochise (Arizona), à cent kilomètres à l'est de Tucson, confirment la présence de peuples de chasseurs au moins 9 000 ans avant J.-C. Ils sont identifiés depuis sous le nom de "peuple de Cochise". Mais à l'époque la région était froide et humide ; le dernier retrait des glaciers au nord du continent modifia le climat qui devint rapidement chaud et sec comme il l'est encore aujourd'hui. Le gros gibier, dont les bisons, s'exila vers le nord et les chasseurs s'adaptant à de nouvelles conditions de vie, devinrent cultivateurs. Au fil des millénaires, les hommes de la région améliorèrent leurs techniques et devinrent les premiers vrais agriculteurs du continent, aidés dans cette évolution par l'influence et les apports des civilisations mésoaméricaines : diversification des cultures, poterie, filage et tissage du coton. ▲

Le Kingsnake "Sonoran mountain" (Lampropeltis pyromelana) *peut atteindre un mètre de long. Sans danger pour l'homme, c'est un grand consommateur de petits rongeurs.*

D'après E. Irving Couse, fin du XIXᵉ siècle.

LES HOPIS

♦ Contraction de *Hopitu* : "ceux qui sont pacifiques".

♦ Langue : shoshonean, de la famille uto-aztèque.

♦ Etablis au nord-est de l'Arizona.

♦ Descendants de peuples que l'on suppose venus du nord, les Hopis ont adopté les constructions en adobe vers le XIIᵉ s., fondant des cités comme Oraibi et Mesa Verde. Cultivateurs et chasseurs de petits animaux, ils développèrent une riche et complexe organisation religieuse et culturelle (culte Katchina, Danse du Serpent...).

♦ Solidaires des autres peuples Pueblos contre l'envahisseur espagnol, les Hopis furent aussi en lutte incessante contre les Navajos. Malgré l'emprise espagnole, ils restèrent réfractaires au catholicisme et demeurent attachés à leur culture ancestrale.

♦ Leur nombre était estimé à 2 800 en 1680. Ils seraient plus de 9 000 à ce jour dans la réserve Hopi.

Danseur Katchina.

Entre 1500 avant J.-C. et 1300 de notre ère, des communautés d'Indiens, descendants ou héritiers des Cochises, ont développé des cultures dans la partie américaine de la région sud-ouest.

LES HOHOKAMS

Installés dans la vallée de la Gila au sud-ouest de l'Arizona, ces Indiens se distinguaient par leur habileté à tirer le meilleur parti des ressources en eau. Pour leurs champs de maïs, ils développèrent des réseaux complexes d'irrigation ; les fossés qui amenaient l'eau étaient profonds et enduits d'argile afin de limiter l'évaporation et les pertes par infiltration. Des petits barrages réglaient le débit. Ce système permettait de procéder à deux récoltes annuelles, l'une au printemps lorsque les rivières étaient gonflées par la fonte des neiges, et l'autre à la fin de l'été. De tempérament pacifique, les Hohokams étaient d'habiles artisans réalisant poteries, coquillages gravés, sculptures sur pierre... Sans doute victimes de la sécheresse, ils abandonnèrent leurs villages au XVᵉ siècle. Les Pimas et les Papagos sont probablement leurs descendants.

LES MOGOLLONS

Installés dans les montagnes au sud du Nouveau-Mexique, les Mogollons vivaient d'une façon plus rustique que les Hohokams. Leur habitat à demi enterré était adapté aux gros écarts de température qu'ils subissaient. Primitivement chasseurs et cueilleurs, ils devinrent eux aussi habiles cultivateurs, tirant parti de la proximité des torrents de montagne pour faire pousser maïs, courges, haricots... Adroits potiers, les Mogollons étaient également experts en bijoux, utilisant différents matériaux dans leur tâche : turquoises de la région, cuivre venu du Mexique, coquillages de la côte pacifique.

Aux XIIIᵉ et XIVᵉ siècles, ils migrèrent progressivement vers le nord et adoptèrent la culture de leurs voisins Anasazis, "les hommes des falaises". Les Zunis sont les descendants de ces Mogollons.

LES ANASAZIS

Ils occupèrent vers 1000 av. J.-C. une vaste région communément appelée les "quatre coins", car le centre géographique en était le point de jonction des Etats actuels de l'Utah, du Colorado, de l'Arizona et du Nouveau-Mexique. Chasseurs puis cultivateurs, ils devinrent sédentaires, installant leurs maisons à charpente de bois sur les *mesas*. Progressivement, ils firent évoluer leur technique et mirent au point un type d'habitat à base d'adobe, briques d'argile cuites au soleil. A leur apogée au XIIIᵉ siècle, ils édifièrent des villages troglodytes au flanc des falaises (Mesa Verde, canyon de Chelly). Le choix de tels sites fut sans doute inspiré par le souci des Anasazis de se mettre à l'abri des agressions. Les femmes s'affairaient dans les maisons ou s'adonnaient à des travaux de poterie et de vannerie. Les hommes chassaient, travaillaient aux champs ou se réunissaient dans la *kiwa* pour tisser ou discuter. La vie était rythmée par les saisons et les différentes cérémonies qu'imposaient leurs relations avec les Katchinas, ces esprits qui détenaient tant de pouvoirs et dont il fallait se concilier les faveurs. ▲

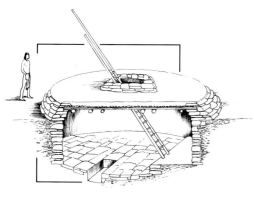

Ronde ou rectangulaire, à moitié ou totalement enterrée, la kiwa est présente dans tout village. Au sol, un trou, le sipapu, marque l'endroit d'où arrivent les esprits du monde souterrain. La kiwa peut avoir plusieurs fonctions : lieu de réunion ou de travail pour les hommes, abri destiné au culte. Les femmes n'y sont admises qu'à l'occasion de cérémonies exceptionnelles.

LES ZUNIS

♦ Déformation espagnole de *Keresan Suny-yitsi*, de signification inconnue. Eux-mêmes s'appelaient *Ashiwi* "la chair".

♦ Langue : zunian, rattaché à l'aztèque-tanoan.

♦ Etablis sur la rive nord du cours supérieur de la rivière Zuni, affluent du petit Colorado au N.-O. du Nouveau-Mexique.

♦ Peuple de cultivateurs, experts en poterie, les Zunis pratiquaient comme les Hopis le culte Katchina. Quatre niveaux organisaient la société : les prêtres, chargés d'intercéder auprès des puissances de l'au-delà pour provoquer la pluie, occupaient le sommet de cette hiérarchie.

♦ Les Zunis appelaient leur terre *Shiwona* (ou *Shiwinakwin* "la terre qui produit la chair"). Ils participèrent à la révolte de 1680 et furent regroupés à l'issue de cette guerre sur le site de l'actuel Zuni.

♦ 2 500 en 1680, les Zunis sont de nos jours plus de 7 700, installés dans les réserves du Nouveau-Mexique.

D'après une photographie, fin du XIXᵉ siècle.

LES PUEBLOS

♦ Sous ce mot, signifiant dans leur langue "ville" ou "village", les Espagnols désignèrent les Indiens vivant dans des habitations construites en adobe (briques de terre séchées au soleil). Ces peuples, utilisant des langues différentes, cohabitaient paisiblement en cultivant leurs terres comme ils le faisaient depuis des siècles.

♦ L'arrivée en 1540 de Francisco Vasquez de Coronado sonna le glas de leur tranquillité par le pillage et la tuerie. Progressivement, missionnaires et soldats espagnols s'installèrent, les uns convertissant, les autres asservissant. Les Indiens Pueblos se révoltèrent en 1680 contre l'envahisseur mais, à la fin du XVIIᵉ siècle, les Espagnols se réinstallèrent.

♦ La majorité des tribus Pueblos vit au Nouveau-Mexique (Jemez, Keresan Pueblos, Piro Pueblos, Tewa Pueblos, Tiwa Pueblos, Zunis...), les autres en Arizona (Hopis).

Village Pueblo.

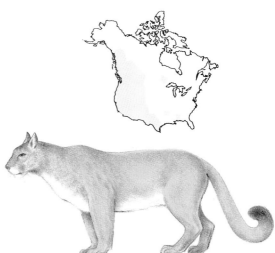

Appelé "lion des montagnes" (Felis concolor) par les Américains, ce carnassier est plus connu sous les noms de couguar ou puma. C'est le plus grand des félins nord-américains. S'il chasse de préférence les cervidés, il ne dédaigne pas d'autres proies : castors, rongeurs, lièvres, oiseaux et même coyotes. Excellent grimpeur, capable de bonds impressionnants, il est, comme tant d'autres félins, aujourd'hui menacé d'extinction.

D'après Joseph Sharp, 1893.

LES REBELLES DES MONTAGNES

Geronimo (de son vrai nom Goyathlay, "celui qui bâille"), né en 1829 (ou 1834) au Nouveau-Mexique. Homme-médecine, il devint le chef des Apaches Chiricahuas et mena la guerre contre Mexicains et Américains jusqu'en 1886. Il mourut en 1909.

D'après photographies, fin du XIXᵉ siècle.

LES APACHES

♦ De *Apachu*, mot zuni signifiant "ennemi". Eux-mêmes s'appelaient *Inde* ou *Tinneh* : "le peuple".

♦ Langue : athabascan.

♦ Peuplaient l'Arizona, le Colorado, le Nouveau-Mexique pour les deux groupes d'Apaches :

- à l'ouest : Lipan Apaches, Jicarilla Apaches ("petit panier"), Mescalero Apaches ("peuple du mescal"), Kiowa Apaches.

- à l'est : Chiricahua Apaches ("montagne"), Tonto Apaches, Western Apaches, White Mountain Apaches.

♦ Les Apaches constituaient un ensemble hétérogène, chaque tribu se différenciant par la situation géographique et l'influence de ses voisins ; ainsi les Apaches de l'Est furent influencés par les Indiens des Plaines. Farouches guerriers, ils étaient tous, à l'exception des Kiowa Apaches, de remarquables vanniers.

♦ Venus du nord au Xᵉ siècle (certains auteurs avancent l'hypothèse d'une migration beaucoup plus ancienne), ils menèrent, dès le XVIIᵉ siècle, une lutte permanente contre les Espagnols et les Comanches... tout en pillant les paisibles peuples Pueblos. Après l'annexion du Nouveau-Mexique, un traité fut signé en 1852 entre Américains et Apaches... mais très vite les hostilités reprirent sous la conduite de chefs tels Mangas Coloradas ou Cochise. Ce dernier signa un traité en 1872. Après une trêve de courte durée, les Apaches rentreront à nouveau en dissidence (1876-1886) avec Victorio et Geronimo pour chefs.

♦ Réserves au Nouveau-Mexique, en Arizona et en Oklahoma. Estimés à 5 000 en 1680, ils seraient 10 000 environ aujourd'hui.

Western Apache, fin du XIXᵉ siècle.

L'abandon des sites troglodytes reste mystérieux. Des événements vinrent sans doute bouleverser la vie des Hohokams, Mogollons et Anasazis qui coexistaient dans la région, entraînant migrations, éclatements des communautés ou rapprochements de certaines tribus. Ces peuples furent-ils victimes de perturbations climatiques (sécheresse ou forte pluviométrie ?) ou de la menace qu'exerçaient sur eux d'autres hommes agressifs et pillards ? Ces prédateurs étaient-ils les Apaches, bandes venues du nord et dont l'arrivée dans la région n'est pas datée avec certitude ? Intrus dans un monde paisible, les Apaches étaient chasseurs nomades. Se déplaçant rapidement par petites unités, n'obéissant qu'à leurs seules impulsions hors de toute autorité, ils hantaient montagnes et déserts. Pour subsister, ils agressaient et pillaient les cultivateurs. Face aux envahisseurs blancs, qui se révèlent encore plus prédateurs qu'ils ne l'étaient eux-mêmes, les Apaches témoignèrent d'une hostilité qui jamais, au fil des siècles, ne se démentit. Mais ils ne furent pas les seules victimes de cette lutte implacable : les paisibles Indiens des villages y gagnèrent un nom (Pueblos) et y perdirent leur liberté.

D'après photographies, fin du XIXᵉ siècle.

D'après photographies, fin du XIXᵉ siècle.

Cette histoire longue et sanglante commence un matin de mai 1539. Une troupe forte de plusieurs centaines d'Indiens se présente aux abords du village zuni de Hawikuh. Leur chef, qui s'attribue des pouvoirs de sorcier, s'appelle Estavanico.

Cette troupe est l'avant-garde d'une expédition envoyée par Antonio de Mendoza, vice-roi de la Nouvelle-Espagne, et conduite par frère Marcos de Niza. Estavanico, prétentieux et borné, aborde les Zunis avec agressivité et se retrouve criblé de flèches, entraînant dans la mort une bonne partie de son escorte. Les survivants s'enfuient et relatent leur triste aventure à Marcos de Niza ; celui-ci s'avance prudemment et aperçoit de loin un village zuni qui lui semble étinceler dans le soleil couchant. A son retour à Mexico, il fait la description enflammée d'une cité couverte d'or... Le vice-roi monte une importante expédition dont il confie la responsabilité à Francisco Vasquez de Coronado. A la recherche des "sept cités de Cibola", jalonnant son parcours de destructions et de massacres, Coronado poursuivra pendant deux ans sa vaine recherche de fabuleux trésors à travers l'Arizona, le Nouveau-Mexique et jusqu'au Kansas. L'échec de son expédition incita les Espagnols à changer de stratégie. Sans mettre fin à leurs brutalités et à leurs exactions, ils se fixèrent dès lors trois objectifs pendant un siècle pour asseoir leur autorité sur la région et réduire l'opposition apache : soumettre les Pueblos et les convertir au christianisme ; en faire ensuite des alliés contre les Apaches ; quadriller le pays de *presidios*, solides places fortes tenues par des soldats.

En d'autres termes, les Espagnols jouaient des rivalités entre Indiens pour asseoir leur emprise sur la région, méthode que les Français et les Anglais allaient plus tard, en d'autres lieux, utiliser à leur profit.Cette politique fut mise en place avec succès... mais les excès commis à l'égard des Pueblos, tenus en état d'esclavage, aboutirent à leur révolte en 1680. Les Espagnols les soumirent définitivement en 1694. ▲

Le crotale Northern Pacific est l'un des plus redoutables serpent à sonnette. Il peut atteindre 1,60 m et se nourrit de petits mammifères et de lézards.

D'après B. Mollhausen, 1853.

AGRICULTEURS EN ARIZONA

LES NAVAJOS

◆ Etaient désignés comme les Apaches de Navahuu (du nom d'un pueblo Tewa au voisinage duquel ils vivaient). *Navahuu* ou *Nauajo*, "grands champs", devint Navajo ou Navaho. Eux-mêmes s'appelaient *Dineh* : "le peuple".

◆ Langue : athabascan.

◆ Installés au nord-ouest du Nouveau-Mexique et nord-est de l'Arizona.

◆ Plus sédentaires que les autres Athabascans, ils étaient agriculteurs (maïs et fruits) et devinrent efficaces éleveurs de moutons. Les Navajos firent preuve d'une habileté rare dans tous les domaines de l'artisanat : vannerie, tissage, travail d'orfèvrerie...

◆ Venus du nord comme leurs cousins Apaches, les Navajos furent davantage influencés par les mœurs des Pueblos. Partagèrent leur révolte en 1680. Insensibles à l'action des missionnaires, ils continuèrent à lutter contre les Espagnols. Les traités de 1846 et 1849 ne mirent pas un terme à leurs actions. En 1863, le colonel Kit Carson, chargé de les mettre à la raison, massacra les troupeaux et emprisonna une grande part de la tribu. Libérés en 1867, les Navajos purent rejoindre leurs terres et la paix s'établit enfin avec leurs voisins.

◆ Répartis dans plusieurs réserves (Arizona, Nouveau-Mexique et Utah), les Navajos, habiles et entreprenants, ont enrichi leur communauté par l'élevage des moutons et les revenus des gisements de pétrole forés sur leurs terres.

◆ Estimés à 8 000 en 1680, ils seraient aujourd'hui plus de 160 000, soit la plus forte population indienne du continent.

*Hogan navajo.
La structure de bois est recouverte de terre ou d'écorce.*

Chaman Navajo.

Dès le milieu du XVIIe siècle, certaines bandes apaches s'installèrent dans des villages sur le modèle Pueblo, combinant agriculture, chasse et élevage. Ils devinrent les Navajos pour les Espagnols et, comme leurs frères Apaches, d'irréductibles adversaires de l'invasion des hommes blancs. Leur lutte ne cessera que dans les dernières années du XIXe siècle, jusqu'aux ultimes affrontements conduits, pour les Navajos par Narbona, Ganado Mucho et Manuelito, pour les Apaches par Mangas Coloradas ("Manches Rouges"), Cochise, Victorio et Geronimo. Jamais leur courage ne faiblit : les Navajos y gagneront le droit de revenir sur leur terre après plusieurs années d'exil, les Apaches étant répartis entre l'Arizona, le Nouveau-Mexique et l'Oklahoma.

Les Pimas, les Papagos du sud de l'Arizona et les Yumas à l'extrême sud-ouest du même Etat connurent une histoire moins riche en péripéties mais tout aussi sanglante. Défaits à plusieurs reprises par les Espagnols et, plus tard, par les Américains, ces paisibles cultivateurs choisirent finalement l'alliance avec les Blancs contre les Apaches qui les dépouillaient régulièrement.

Les miracles arrivent aussi quelquefois... Certains Indiens vécurent en marge de l'Histoire et eurent la chance de n'être découverts qu'en 1776 par le franciscain Francesco Garces. Bien cachés au creux du Cataract Canyon, les Havasupais, ou "peuple de l'eau bleu-vert", étaient cultivateurs et chasseurs. Ils vivaient dans un petit paradis de verdure... et ils y sont toujours ! ▲

LES YUMAS

◆ Contraction par les Espagnols de *Yahmayo* "le fils du chef", titre de l'héritier du pouvoir dans la tribu. Eux-mêmes s'appelaient *Kwichana*.

◆ Langue : yuman, rattaché à la famille linguistique hokan.

◆ Occupaient le cours inférieur de la rivière Colorado.

◆ D'une élégance naturelle, les Yumas étaient des guerriers redoutés. Chasseurs, pêcheurs, ils étaient aussi de bons agriculteurs pratiquant l'irrigation.

◆ Rencontrés par Hernando de Alarcón en 1540, ils furent, dès le début du XVIIIe siècle, en contact avec les autres explorateurs et commerçants espagnols. Cédèrent la majeure partie de leur territoire aux USA par le traité de Guadalupe Hidalgo en 1848.

◆ Estimés à 3 000 en 1776, les Yumas seraient un millier environ dans la vallée du Colorado et dans la réserve Yuma (Californie).

D'après Arthur Scott, 1855.

Abri Papago.

Tissage Navajo.

Le Roadrunner (Grococcyx californianus) est un oiseau coureur particulier à la région du sud-ouest. Même surpris à découvert, il est capable de s'enfuir grâce à de brusques changements de direction. Il est friand d'insectes, de lézards, de scorpions et autres petits serpents.

LA CALIFORNIE
LE GRAND BASSIN
LE PLATEAU

Faute de constituer des entités aussi fortes que les autres régions sur les plans géographique, culturel ou historique, la Californie et le Grand Bassin furent fréquemment regroupés et le Plateau rattaché aux Plaines. Il est maintenant admis de les considérer comme des régions à part entière du fait de leurs particularités.

LA CALIFORNIE

C'est la région la plus hospitalière du continent nord-américain. Le climat est chaud sans excès, la terre fertile et bien irriguée par un harmonieux réseau de rivières. Seule exception, au sud, le désert des Mojaves constitue une enclave plus aride, proche des paysages du Grand Bassin. En Californie, la population indienne était relativement dense et bénéficiait de conditions de vie optimales : gibier abondant, végétation riche et variée. Tous les matériaux nécessaires à la fabrication des armes et des outils, à l'édification des abris, étaient disponibles. Cette population présentait une grande homogénéité de mœurs et de mode de vie malgré l'importante diversité de langages : plus de cent dialectes rattachés aux familles athabascane, penutiane et hokane. Ces peuples vivaient en bonne intelligence, échangeant leurs produits et respectant le territoire de leurs voisins. Les rares différents étaient réglés davantage par la négociation que par les armes.

LE GRAND BASSIN

Cette région, incluant la totalité du Nevada et de l'Utah, la moitié des Etats de l'Oregon, de l'Idaho, du Wyoming et du Colorado, peut se scinder en deux parties.

a) Le Grand Bassin proprement dit, vaste plateau situé à plus de mille mètres d'altitude et limité à l'ouest par la Sierra Nevada (Mont Withney 4 341 m), au nord par la vallée de la rivière Snake et les monts de la rivière Salmon, à l'est par les monts Teton et Wasatch, au sud par la Vallée de la Mort au bord du désert des Mojaves.

b) A l'est, le plateau du Colorado avec les rivières Green et Colorado, cerné par des chaînes montagneuses où se trouvent plusieurs sommets dépassant 4 000 mètres.
Ces frontières naturelles constituent autant d'écrans qui font du Grand Bassin l'une des régions les plus arides du monde. La cha-

leur y est intense, dans un paysage de sable et de roches. Quelques orages violents maintiennent le niveau des mares et des étangs, mais l'essentiel de l'irrigation provient des montagnes dont les ruisseaux et les torrents viennent, au printemps, alimenter les rares cours d'eau.

LE PLATEAU

Limité à l'est par les montagnes Rocheuses, le Plateau comprend le sud de la Colombie Britannique et une part importante des Etats de Washington, de l'Oregon, du Montana et de l'Idaho. Deux familles linguistiques se partageaient la région : le groupe penutian/shahaptian avec les tribus Nez-Percés, Cayuses, Yakimas, Walla-Wallas, Klikitats... et le groupe salish : Cœurs d'Alêne, Flatheads, Shuswaps, Thompsons... Seule la tribu Kootenai habitant les monts Selkirk échappait à cette classification. Sa langue était un isolat que certains linguistes rattachent au wakashan et à l'algonquin, d'autres à l'athabascan.

La vie de toutes ces tribus s'organisait en fonction des axes de communication que constituent les cours d'eau ; au nord la Fraser et les rivières Bridge et Lillooet, au sud la Columbia et ses nombreux affluents. Ces voies d'eau étaient une réserve inépuisable de ressources alimentaires (saumons, esturgeons, truites...) pour les tribus riveraines ; elles permettaient aussi de constantes relations commerciales entre la côte Pacifique et l'intérieur, en facilitant la circulation et l'échange des produits. ▲

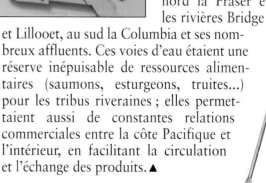

Pêcheur de saumon

LA CALIFORNIE

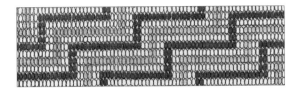

LES HOMMES DU CERF

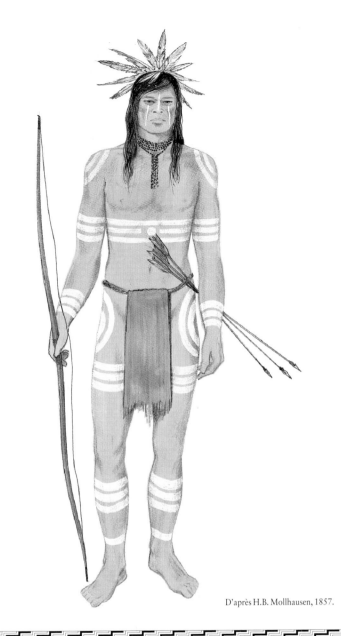

D'après H.B. Mollhausen, 1857.

En limite du désert qui porte maintenant leur nom, les Mojaves vivaient le long du cours inférieur du Colorado. Sur une étroite frange de terre fertile, ils cultivaient maïs, haricots, courges et complétaient leurs ressources alimentaires par des récoltes de baies, de figues, de racines et aussi par la pêche et la chasse aux lapins. Deux particularités distinguaient les Mojaves des autres peuples californiens : un penchant immodéré pour les activités guerrières, qu'ils menaient contre les Yumas vivant plus en aval sur le Colorado, et leur goût pour les échanges commerciaux. Les Mojaves étaient curieux des mœurs de leurs voisins, mais peu enclins à modifier leur propre mode de vie. Dans le sud de la Californie, d'autres tribus de même langue hokane vivaient en bordure d'océan : Tipaïs, Luisenos, Chumashs. Les membres de cette dernière tribu excellaient dans la pêche en mer : baleines, dauphins, phoques, loutres de mer étaient chassés à bord de pirogues calfatées au bitume. Armés de leur pagaie, trois ou quatre hommes harponnaient leurs proies ou les prenaient dans les mailles de leurs filets d'herbes marines tressées. Dans les eaux basses du littoral, ils aménageaient des pièges à poissons ou usaient de plantes toxiques qui mettaient leurs proies en état d'inertie. Ils faisaient aussi ample moisson d'huîtres, de moules, de pétoncles.

Plus au nord commençait le territoire des tribus de langue penutiane (Yokuts, Miwoks, Costanoans), disséminées dans des villages où les maisons avaient la forme de dôme ou de cône suivant le matériau de couverture (herbes ou bois). Les Indiennes étaient expertes en vannerie et toutes ces tribus vivaient pacifiquement sous l'autorité du plus riche. Cette dignité était souvent héréditaire et pouvait être assumée par une femme. ▲

LES MOJAVES

- De *Hamakhava*, "trois montagnes", en référence au massif des Needles.
- Langue : hokan.
- Rives du Colorado, entre les Needles et l'entrée du Black Canyon.
- Cultivateurs. Les guerriers étaient réputés pour leurs qualités athlétiques.
- Rencontrèrent les Espagnols dès la fin du XVIe siècle. Après divers épisodes sanglants face aux Espagnols, puis aux Américains, leur territoire devint réserve en 1865.
- Population estimée à 3 000 en 1680. Ils étaient 856 en 1937.

Hormis quelques localisations dans le sud du Canada et la vallée de l'Ohio, le cerf wapiti (Cervus elaphus) est principalement un habitant des Rocheuses et de la Californie.
Proche du cerf européen, c'était un gibier de choix pour les Indiens. Ses bois fournissaient aux Hupas la matière première pour la fabrication de cuillers dont l'usage était essentiellement réservé aux hommes.

LES MIWOKS

♦ "Hommes" dans leur langue.

♦ Langue : penutian.

♦ Région du parc Yosemite, à l'est de l'actuel San Francisco.

♦ Chasseurs et cultivateurs.

♦ Contraints de subir la présence de missions, ils participèrent à plusieurs révoltes. Quelques villages miwoks furent ravagés par les Mexicains en 1843. La découverte de l'or incita les mineurs en quête de main-d'œuvre à mener des expéditions peu amicales contre certaines tribus.

♦ Environ 11 000 en 1770, il ne subsiste que quelques centaines d'individus aujourd'hui.

Habitation Miwok.

Danseur, d'après W.H. Rolofson, 1856.

LES CHUMASHS

♦ Etymologie inconnue. Appelés aussi *Santa Barbara* et *Santa Rosa Indians*.

♦ Langue : hokan.

♦ Côte sud de la Californie et quelques îles du détroit de Santa Barbara.

♦ Essentiellement pêcheurs. Les Chumashs travaillaient le bois et la pierre avec adresse ; les femmes s'adonnaient à la vannerie.

♦ Furent visités par le Portugais Cabrillo en 1542. A partir de 1771, cinq missions de Franciscains s'installèrent sur leur territoire. Ces nouvelles conditions de vie aboutirent à la révolte de 1824.

♦ Estimé à 2 000 vers 1770, leur nombre est réduit à quelques dizaines d'individus de nos jours.

LES YOKUTS

♦ "Hommes" dans leur propre dialecte. Appelés aussi *Mariposans*.

♦ Langue : rattachée au penutian.

♦ Vallée de San Joaquim.

♦ Chasseurs et cultivateurs.

♦ Beaucoup d'entre eux échappèrent aux missions espagnoles, mais furent victimes de l'expansion américaine consécutive à la ruée vers l'or (1849).

♦ Peut-être 18 000 en 1770, environ un millier en 1930.

Chaman, d'après Léon de Cessac, 1878.

D'après Léon de Cessac, 1877.

PÊCHEURS ET VANNIERS

D'après une gravure, fin du XIXᵉ siècle.

LES POMOS

♦ "Hommes" dans leur dialecte. *Pomo* était également un suffixe associé aux noms de villages (ex : Ballokaïpomo, Yokayapomo, etc).

♦ Langue : hokan.

♦ Région côtière, au nord de San Francisco.

♦ Vivant de cueillette (les glands constituaient la base de leur alimentation), de chasse et de pêche, ils étaient réputés pour leur habileté : travaux sur coquillage ou objets en écume de mer. Les femmes réalisaient les vanneries les plus élaborées de Californie, variant techniques et matériaux.

♦ Echappèrent largement à l'influence des missions franciscaines.

♦ Population estimée à 8 000 âmes en 1770. Seraient aujourd'hui un millier.

Plus au nord, se trouvait le pays des Pomos répartis en trois groupes. Le plus important vivait sur le littoral dans une zone balayée par les vents du large ; le deuxième groupe, au-delà de la forêt de séquoias, dans la souriante vallée de la rivière Russian ; le troisième enfin, sur les rives du lac Clear (200 km²), réserve inépuisable de poissons et relais pour le gibier d'eau migrateur, agréable plan d'eau enchâssé dans la verdure. Ces différentes conditions de vie n'altéraient en rien l'unité culturelle des Pomos qui avaient mis en place une sorte de monnaie pour régler leurs transactions avec les autres tribus (cordages de fibres, pointes de flèches, fourrures de phoques, coquillages...). L'une des richesses des Pomos était le sel, que des eaux saumâtres laissaient en dépôt l'été. Cette denrée recherchée était à disposition des autres Indiens contre paiement en cadeaux... mais les chapardeurs étaient poursuivis sans pitié.

Toutes les tribus de la région partageaient les mêmes traits dominants : structure sociale basée sur la famille, sens du territoire, primauté et autorité accordées aux plus riches, tempérament pacifique préférant la négociation à l'affrontement, échanges commerciaux actifs entre tribus donnant prétexte à expéditions conjuguant l'intérêt et l'aventure. Ainsi les Pomos du littoral commerçaient avec leurs frères de l'intérieur, et les Yuroks de la rivière Klamath avec les Hupas de la rivière Trinity.

Chargés d'évangéliser les Indiens, franciscains et dominicains fondèrent vingt et une missions de 1769 à 1820 (ainsi San Diego en 1769 et San Francisco en 1776). Cette association du sabre et de la croix se traduisit par un véritable esclavage des Indiens. Contraints d'abandonner leurs villages, ils furent regroupés autour des missions et devinrent agriculteurs sédentaires. Leurs conditions d'existence étaient d'une extrême dureté ; les trois quarts d'entre eux disparurent en quelques dizaines d'années, victimes des épidémies et de très mauvais traitements (travail harassant, nourriture insuffisante, fouet, mise au fer, marquage au fer rouge...).

L'indépendance du Mexique en 1823 marqua la fin des missions. Les ranches américains cherchèrent à recruter des jeunes Indiens : autres maîtres, autres misères, que rien ne viendra atténuer dans les années qui suivirent. La ruée vers l'or et l'expansion américaine précipiteront le déclin des Indiens de Californie malgré plusieurs légitimes révoltes. ▲

Petit oiseau grégaire répandu dans tous les Etats de la côte Pacifique, de l'île de Vancouver à la basse Californie, la caille californienne (Callipepla californica) se distingue par la petite aigrette noire qui orne sa tête. Son plumage est gris bleu.

D'après une gravure, vers 1850.

LES YUROKS

♦ De *Yuruk*, terme karok signifiant "en aval".

♦ Langue : rattachée à l'algonquian.

♦ Cours inférieur de la rivière Klamath.

♦ Cueilleurs et pêcheurs. Connus pour leur tempérament pacifique.

♦ Entrés tardivement en contact avec les Blancs, ils connurent des conflits mineurs avec les colons et chercheurs d'or. Furent ensuite épargnés grâce à la constitution en réserve de leur territoire (1855), aujourd'hui rattaché à la réserve Hupa.

♦ Peut-être 2 500 au XIXe siècle. Environ un millier en 1985.

D'après John Daggett, fin du XIXe siècle.

D'après Edward S. Curtis, début du XXe siècle.

LES KAROKS

♦ Probablement de *karuk*, signifiant "en amont".

♦ Langue : hokan.

♦ Cours moyen de la rivière Klamath.

♦ Chasseurs et pêcheurs, leur histoire est proche de celle des Yuroks, dont ils partagèrent la réserve.

♦ 1 500 en 1770. Seraient environ 2 000 de nos jours.

LES HUPAS

♦ Corruption par les Yuroks du nom de la vallée Hoopa occupée par cette tribu.

♦ Langue : athabascan.

♦ Vallées de la Trinity et la New River, et cours inférieur de la Klamath (Hoopa Valley).

♦ Leurs villages rassemblaient de petites maisons en bois de cèdre disposées autour de la loge à sudation. Les femmes étaient habiles vannières et les hommes adroits sculpteurs du bois. Basée sur la richesse des individus, la société hupa était régie par une codification complexe : les différents conflits étaient réglés par voie de compromis et de dédommagements.

♦ Isolés dans les vallées, ils ne furent que tardivement en contact avec les Blancs (vers 1850). Soucieux d'éviter leur perte, le gouvernement américain leur aménagea une réserve dès 1864.

♦ Estimée à 1 000 au milieu du siècle dernier, leur population aurait doublé aujourd'hui.

Le Grand Bassin

Les Hommes du Coyote

A l'exception des Utes du plateau du Colorado, les tribus Shoshones, Bannocks, Paiutes, Washos du Grand Bassin vivaient à l'abri des montagnes environnantes sans être influencées par d'autres cultures. De tempérament pacifique, c'est à la recherche de la nourriture qu'elles consacraient l'essentiel de leur activité. Cette quête se faisait par petits groupes de quelques familles, afin de limiter les besoins et le nombre de bouches à nourrir. Plusieurs groupes pouvaient se réunir quand survenait une période de relative abondance.

Du fait de cette dispersion en petites unités nomades, l'organisation tribale était légère et souple, la famille restant l'unité de base. Pour des opérations ponctuelles, cérémonies, chasse ou expédition guerrière, un responsable était désigné. Choisi pour son habileté, ses connaissances ou son courage, son pouvoir cessait à la fin de l'opération. Les décisions importantes étaient prises après consultation des anciens, réputés pour leur sagesse.

Quand, au début du XIXᵉ siècle, les Américains furent en contact avec les Indiens du Grand Bassin, ils les appelèrent par dérision *diggers* car, grattant et fouillant le sol, ceux-ci consommaient, faute de mieux, racines, insectes, chenilles, serpents, lézards et petits rongeurs. En fait, ils se contentaient de ce que la nature proposait, même quand elle oubliait d'être généreuse. Heureusement, d'autres opportunités se présentaient : à la sortie de l'hiver, les tamias réapparaissaient en grand nombre, précédant le passage du gibier d'eau, oies, canards, courlis, pour qui les marais et les étangs constituaient des étapes dans leur migration vers le nord. Les Indiens réalisaient des leurres pour inciter les vols à se poser, et des embarcations en joncs leur permettaient une discrète approche des oiseaux et le chapardage des œufs dans les nids. La proximité de l'eau favorisait aussi la récolte des pousses de cattail et la pêche du maximum de poissons, lesquels, vidés et séchés, deviendraient des réserves pour les jours difficiles.

Dès le retour de la saison chaude, les tribus progressaient insensiblement vers des sites plus en altitude pour y trouver de meilleures conditions de vie, aventure renouvelée chaque année car la nature capricieuse transformait d'un été à l'autre le lac ou le cours d'eau en marécage boueux, voire en simple trace entre les rochers. Au mois de septembre venait le moment de récolter les cônes du pin pignon. Ces beaux arbres de 10 à 12 mètres croissaient aux flancs des montagnes parmi les massifs de genévriers. Mais chaque arbre ne produisait que tous les deux ou trois ans, aussi des émissaires partaient à la recherche des meilleurs producteurs. Ceux-ci localisés, hommes, femmes et enfants participaient à la récolte des "pignes", un des produits de base de leur alimentation.

A la fin de l'automne, les Indiens redescendaient vers le désert. C'était le moment pour eux d'organiser la chasse au lièvre du désert, le célèbre *blacktail*. Bien que traqué toute l'année, ce gibier était, à l'approche de l'hiver, à son effectif maximum. Pour mener à bien leur entreprise, les Indiens réalisaient des filets de 100 à 150 mètres en fibre de chanvre. Les mailles des filets laissaient passer la tête et les oreilles de l'animal, mais non le corps. Plusieurs filets étaient disposés successivement dans un vallon et des rabatteurs poussaient les animaux vers les pièges. ▲

Présent sur une large fraction du continent nord-américain, le coyote (Canis latrans) est capable de parcourir des raids de plus de 500 km. Prédateur souvent concurrent de l'homme, le coyote jouissait du respect des Indiens du Grand Bassin, car il les avertissait de la présence éventuelle du couguar.

Ces trois plantes figuraient dans le régime alimentaire des Indiens du Grand Bassin :

A. Le Cattail (Typha latifolia) *peut atteindre 2,50 m de haut et croît dans les terrains montagneux. Les jeunes pousses étaient consommées en salade ou bouillies, et les racines réduites en farine.*

B. Le Camas (Camassia quamash) *variété de liliacée à belles fleurs bleu-violet. Son bulbe est comestible.*

C. Le Bitterroot (Lewisia rediciwia) *est une petite plante à fleurs mauves ou blanches qui se plaît dans les terres à conifères. Ses racines sont comestibles.*

LES BANNOCKS

◆ Corruption de leur propre nom : *Bana'kwut.*

◆ Langue : shoshonean.

◆ Sud-est de l'Idaho, puis région ouest du Wyoming et sud du Montana.

◆ Disposant de chevaux depuis le début du XVIIIe siècle, les Bannocks chassaient le bison. Ils se déplaçaient par petites bandes, vivant dans des huttes de roseau recouvertes de nattes d'herbe en été, et dans de petits abris à demi enterrés en hiver. Ils pêchaient également le saumon. Habiles vanniers.

◆ Fiers et ombrageux, les Bannocks souffrirent des épidémies de variole. Leurs conflits avec les Blackfeet et les Nez-Percés, puis avec les Blancs, furent incessants. Défaits par l'US Army sur la Bear River (1863), ils furent assignés dans la réserve de Fort Hall (Idaho). Vaine révolte en 1878 sous la conduite de Buffalo Horn.

◆ Environ 5 000 individus en 1829, les Bannocks seraient un bon millier aujourd'hui.

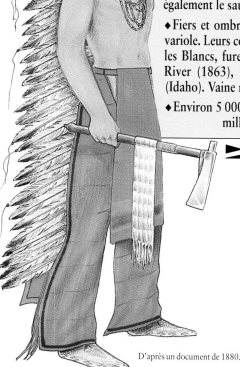

D'après un document de 1880.

LES SHOSHONES

◆ Nom d'origine incertaine. Pourrait signifier "dans la vallée". Certaines tribus voisines les désignaient dans leurs langues par des noms tels que "ceux qui habitent des huttes d'herbe", mais, pour la plupart et pour les Européens, ils étaient "les Serpents" ou "peuple du Serpent".

◆ Langue : shoshonean.

◆ Les Shoshones du Nord occupaient l'Idaho oriental, l'ouest du Wyoming et le nord-est de l'Utah près du Grand lac Salé. On trouvait les Shoshones de l'Ouest au sud de l'Idaho, au sud-ouest de l'Utah et au nord du Nevada.

◆ Ceux du Nord vivaient, tels les Indiens des Plaines, de la chasse au bison. Ils firent connaître le cheval à bien des tribus voisines : Blackfeet, Crows, Nez-Percés... Plus sédentaires, ceux de l'Ouest se consacraient surtout à la cueillette et à la pêche au saumon.

◆ En conflit permanent avec leurs voisins, les Shoshones comprirent avant eux l'inéluctable victoire des Blancs. Leur neutralité servit leurs intérêts. Ayant même fourni des scouts aux "tuniques bleues", ils obtinrent la superbe réserve de Wind River (Wyoming).

◆ Environ 4 500 en 1845, les Shoshones approcheraient aujourd'hui le même nombre, avec un fort taux de métissage.

D'après une gravure du début du XIXe siècle.

D'après C.C. Nahl, 1866.

Aux Abords du Colorado

Les Paiutes confectionnaient des paniers coniques pour récolter les pignes du pin Singleleaf propre au Nevada, ou du pin Colorado, plus largement répandu dans des Etats tels que l'Utah, l'Arizona et le Nouveau-Mexique.

L'apparition du cheval modifia le mode de vie des Utes du Colorado. Dès le XVIIᵉ siècle, ils firent des incursions dans la grande plaine pour y chasser le bison. Leurs mœurs devinrent plus guerrières et ils furent au contact des Espagnols à la faveur de conflits avec les Comanches, les Apaches et les Navajos. Les autres Indiens du Grand Bassin restèrent isolés plus longtemps. Rares étaient les Blancs à s'aventurer dans une région aussi désolée, jusqu'à l'arrivée des Mormons, les "Saints des derniers jours" conduits par Brigham Young en 1847. Les relations avec ces nouveaux venus installés près du Grand Lac Salé dégénérèrent très rapidement, faisant place aux désordres et aux affrontements. Simultanément, un autre événement allait bouleverser l'ouest américain : le 24 janvier 1848, on découvrit de l'or en Californie dans la scierie du capitaine John Sutter. En quelques mois, la nouvelle se répandit et une ruée de prospecteurs, miséreux et aventuriers s'abattit sur la Californie et le Nevada où l'on avait aussi trouvé de l'or et de l'argent. Cette "ruée vers l'or" bouleversa rapidement l'équilibre de la région : pour quelques rares prospecteurs, la fortune était au bout du chemin. Quant aux Indiens, condamnés à la fuite ou à la misère, beaucoup moururent des maladies des Blancs : le choléra, à lui seul, fit plus de deux mille victimes. En 1872, du minerai d'argent fut trouvé sur les terres des Utes, dans la chaîne des San Juan. Prospecteurs et colons entamèrent une campagne inlassable pour qu'on expulse les Indiens de la région. Menés par le chef Jack, les Utes se révoltèrent. En septembre 1879, ils infligèrent même de lourdes pertes à la cavalerie américaine (bataille de Milk Creek) avant de devoir, comme leurs frères, rendre les armes. ▲

D'après une photographie de 1860.

Le Blacktail Jackrabbit (Lepus californicus) est plus proche du lièvre que du lapin. Abondant dans tout l'ouest américain, il se distingue d'autres espèces par sa petite queue bordée de blanc.

Abri Paiute.

Les Paiutes

◆ Leur nom pourrait signifier "les vrais Utes".

◆ Langue : shoshonean.

◆ La branche nord des Paiutes vivait au nord du Nevada et au sud-est de l'Oregon ; la branche sud, au sud du Nevada et au sud-est de l'Utah.

◆ Organisés en petites bandes autonomes, ils vivaient, au XIXᵉ siècle, à un stade proche de l'âge de pierre.

◆ Prospecteurs d'or et colons se ruant sur la route de l'Ouest après 1850, ce sont les Mormons, peu désireux de l'irruption, qui armèrent les Indiens ! Les Paiutes du nord se virent attribuer des réserves à partir de 1865, ceux du sud quelques décennies plus tard. Ils s'associèrent à la révolte des Bannocks en 1878.

◆ De 5 à 6 000 individus en 1985 dans les réserves du Nevada (Duck Valley, Pyramid Lake, Walker River) et les ranches californiens.

D'après une photographie de 1868.

D'après Edmund O'Beamon, 1871.

▶▶▶▶▶▶▶▶▶▶▶▶

LES UTES

◆ Leur nom, et toutes ses variantes (Utas, Utaws, Utsias, Youtahs...) pourrait être une corruption de leur propre nom *Notch* (sens inconnu). Certaines tribus les appelaient "hommes noirs" ou "peuple noir".

◆ Langue : shoshonean.

◆ Centre et ouest du Colorado pour les Utes de l'est ; Utah oriental pour ceux de l'ouest.

◆ Peuple réputé agressif, très lié aux Shoshones et aux Bannocks, ils répondirent à l'invasion blanche par le vol de bétail et de chevaux. Se consacraient à la chasse au bison.

◆ Sous l'influence du chef Ouray, leurs relations avec les Blancs se pacifièrent progressivement, mise à part une révolte en 1879 (bataille de Milk Creek).

◆ Estimé à 4 500 en 1845, leur nombre était de 2 000 en 1937.

▶▶▶▶▶▶▶▶▶▶▶▶

LES WASHOS

◆ De *Washiu* : "personne".

◆ Langue : hokan.

◆ Ouest du Nevada.

◆ Connus pour leurs qualités de vanniers.

◆ Défaits par les Paiutes qui les repoussèrent vers la région de Reno (1862). Le gouvernement leur proposa 2 réserves que les colons blancs occupèrent avant même leur installation (1865).

◆ Un millier d'individus en 1845, ils étaient 600 en 1937.

▶▶▶▶▶▶▶

Appelés communément écureuils terrestres ou "suisses" par les auteurs anciens (à cause de leur fourrure rayée), les tamias sont de petits animaux qui affectionnent les forêts de conifères et se nourrissent de noisettes, de graines, de fruits et de baies.

D'après une photographie de 1890.

LE PLATEAU

LES HOMMES DU SAUMON

Traditionnellement, les Salishs du littoral commerçaient avec leurs frères par la langue vivant à l'intérieur des terres. Mais les plus actifs des intermédiaires étaient les Chinooks, réseau de petites tribus autonomes réparties sur le cours inférieur de la Columbia. Trait d'union entre deux régions différentes, les Chinooks s'adonnaient à deux activités : la pêche au saumon et le commerce. C'est sous leur contrôle que s'échangeaient fourrures, poissons séchés, huile de poisson, coquillages, vannerie... et esclaves.

C'est à proximité du confluent des rivières Columbia et Deschutes que se situaient les points de rendez-vous. Les négociations se conduisaient dans une langue composite, mélange de salish, de chinook et de nootka. Communément appelé le "chinook", ce jargon intégra des mots français et anglais dès que les Blancs furent partie prenante dans ce commerce au début du XIXe siècle... Présence logique car, dès 1775, des vaisseaux faisaient escale le long de la côte et échangeaient avec les Nootkas et les Makahs des produits de fabrication européenne. Ainsi, des ustensiles en métal étaient entre les mains d'Indiens qui n'avaient jamais rencontré de Blancs.

Cause ou conséquence de cette vocation commerciale, la région, relais entre le Nord et le Sud, l'Ouest et l'Est, était une mosaïque de cultures. Certaines tribus de l'ouest du Plateau subissaient l'influence des sociétés très structurées des tribus de la côte pacifique ; d'autres, à l'est du Plateau (Kootenais, Cœurs d'Alène, Flatheads, Nez-Percés, Yakimas, Cayuses), avaient largement adopté le mode de vie des Indiens des Plaines axé sur la chasse aux bisons.

Seules les tribus de langue salishan du centre de la région (Shuswaps, Thompsons, Lakes, Sanpoils, Spokans) menaient une existence hors de toute influence extérieure, simplement rythmée par les saisons et la nécessité toujours renouvelée de procurer de la nourriture à la communauté. Dès le printemps, hommes et femmes s'égaillaient dans la nature, les uns pour chasser les lapins ou pêcher quelques poissons, les autres pour récolter les premières racines ou plantes comestibles. Au mois d'avril, les campements d'hiver étaient abandonnés et les tribus s'installaient pour les beaux jours à proximité des rivières.

Les sites de pêche étaient soigneusement repérés et préparés pour piéger ou harponner le maximum de poissons remontant vers les frayères. Les passages les plus étroits étaient creusés et tapissés de pierres et de graviers blancs afin de mieux apercevoir le furtif scintillement du saumon remontant le courant. A certains endroits propices au harponnage, les Indiens installaient des aplombs en bois ; en d'autres places, ils construisaient des barrages. La pêche se poursuivait pendant tout l'été jusqu'à la fin de la période de frai.

L'automne venu, les Indiens réintégraient les campements d'hiver faits d'abris à demi enterrés, recouverts d'herbes sèches et de branchages et conçus pour résister aux rigueurs de la saison froide. La nourriture et le bois de chauffage étaient soigneusement stockés. Pendant l'hiver, les Indiens s'éloignaient peu du campement. Les femmes se livraient à des travaux de vannerie et de couture, les hommes partageaient leur temps entre le jeu et de brèves sorties de chasse. Le solstice d'hiver était l'occasion de fêtes et de danses pour se concilier les esprits et se donner le courage d'attendre, confiant, le retour du printemps. ▲

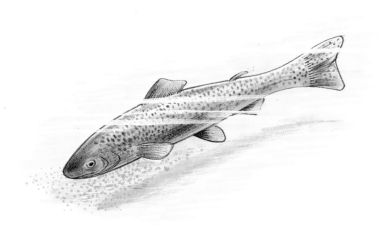

Plusieurs espèces de salmonidés peuplent les rivières de la côte Pacifique. Le saumon chinook (Oncorhynchus tshawytscha) *figure parmi les plus répandues. Il est aussi une proie très appréciée des pêcheurs, avec le saumon sockeye* (Oncorhynchus nerka) *et le saumon coho* (Oncorhynchus kitsutch).

LES SPOKANS

◆Etymologie incertaine. Pourrait signifier "peuple du soleil".

◆Langue : salishan.

◆Est de l'Etat de Washington.

◆Pêcheurs et chasseurs de tout gibier, dont le bison.

◆Résistèrent deux ans à l'armée américaine, jusqu'au traité de Fort Elliot en 1855.

◆Leurs descendants vivent dans des réserves dans les Etats du Montana et de Washington. Environ 2 000 vers 1780, 847 en 1937.

D'après Paul Kane, 1847.

D'après James Teit, 1900.

LES THOMPSONS

◆Nom donné par les Blancs, en référence à la rivière Thompson. La tribu s'appelait *Ntlakyapamuk* (signification inconnue).

◆Langue : salishan.

◆Vallées des rivières Thompson et Fraser (Colombie britannique).

◆Pêcheurs et chasseurs (caribou, daim, orignal).

◆Furent surtout décimés par l'irruption de mineurs sur leur territoire (1858) et par des épidémies de variole les années suivantes.

◆Les Thompsons continuent de vivre sur d'étroites parcelles. Peut-être 5 000 vers 1780, on en recensa 1 776 en 1906.

Au Cœur des Rocheuses

D'après une photographie,
fin du XIXe siècle.

Chassés du continent par la dernière glaciation, les chevaux revinrent dans le Nouveau Monde par les bateaux des Conquistadores. Les Indiens crurent d'abord qu'homme et bête n'étaient, tel le centaure de la mythologie grecque, qu'un seul et même être. Mais la peur fit rapidement place à la curiosité. Les premiers indigènes à acquérir des chevaux furent les Comanches qui les échangèrent contre des esclaves. En 1680, un grand nombre d'animaux échappèrent aux Espagnols en lutte avec les Pueblos et purent gagner les confins du Nouveau-Mexique où ils proliférèrent rapidement. Après quoi, ils se répandirent et peuplèrent la grande prairie. Au cours du XVIIIe siècle, par le troc et le vol, toutes les tribus intégrèrent progressivement le cheval à leur mode de vie : d'abord les Navajos, Apaches, Utes, puis les Osages, Kiowas, Cheyennes, Arapahos, ensuite les Pawnees, Crows, Shoshones, Dakotas, Mandans, enfin les Crees, Ojibwas, Blackfeet et Nez-Percés. Le "chien sacré" devint un élément prépondérant dans l'existence même des tribus : animal de trait, il couvrait de longues distances et tirait de lourdes charges sur les travois ; mieux, il pouvait porter un cavalier !

Cette migration d'un siècle allait transformer l'espèce : issu des races arabe et numide, fin et fougueux, le cheval andalou (genêt ou barbe) se trouva confronté aux rigueurs de l'hiver et aux attaques des loups. Une sélection naturelle s'opéra en faveur des plus résistants : l'espèce perdit quelques centimètres au garrot et gagna un nouveau nom, mustang (de l'espagnol *mestengos*, égaré). Vers 1800, deux millions de ces chevaux vivaient alors en liberté.

A cette époque, le cheval fut enfin introduit dans la région du Plateau. L'espèce trouva dans la vallée de la Columbia les conditions idéales à son épanouissement. Les Yakimas contrôlaient d'immenses troupeaux ; les Nez-Percés furent reconnus comme des éleveurs et dresseurs hors-pair ; les Cayuses (dont le nom sera adopté par les Blancs pour désigner les poneys indiens) diffusèrent ces élevages, entre autres celui du célèbre cheval *Appaloosa* omniprésent parmi les tribus voisines de la rivière Palouse. ▲

Les Walla Wallas

- ◆ Leur nom signifie "petite rivière".
- ◆ Langue : shahaptian/penutian.
- ◆ Cours inférieur de la Walla Walla (sud-est de Washington et nord-est de l'Oregon).
- ◆ Culture traditionnelle axée sur la pêche.
- ◆ Participèrent à la lutte des tribus du Plateau, de 1853 à 1858.
- ◆ Descendants installés dans la réserve Umatilla (Oregon). Population estimée à 1 500 en 1780 ; ils étaient 631 en 1937.

LES PALOUSES

- ◆Etymologie et sens inconnus.
- ◆Langue : shahaptian/penutian.
- ◆Etablis aux abords de la rivière Palouse (Washington et Idaho).
- ◆Alliés des Nez-Percés, chasseurs de bisons.
- ◆De 1848 à 1858, ils résistèrent avec d'autres tribus à la pression blanche. Furent les derniers à combattre et, bien qu'inclus dans le traité de 1855, ils refusèrent de vivre en réserve.
- ◆1 600 en 1805, on en compta 82 en 1910.

LES CAYUSES

- ◆Signification inconnue. Leur propre nom était *Wailetpu*.
- ◆Langue wailatpuan, branche du shahaptian.
- ◆Occupaient l'est de l'Oregon.
- ◆Chasseurs de bisons.
- ◆Luttèrent farouchement de 1847 à 1849 (Guerre des Cayuses), puis de 1853 jusqu'à la bataille de Grande Ronde (1856).
- ◆Installés dans une réserve avec les Umatillas dans l'Oregon. 500 en 1780, 370 en 1937.

D'après une photographie, fin du XIXᵉ siècle.

D'après une photographie, fin du XIXᵉ siècle.

LES YAKIMAS

- ◆Leur nom signifie "fugitifs". Eux-mêmes s'appelaient *Waptailmin*, "peuple de la rivière étroite".
- ◆Langue : shahaptian/penutian.
- ◆Cours inférieur de la Yakima (Washington), non loin de l'actuel Seattle.
- ◆Pêcheurs et chasseurs traditionnels. Très liés aux Nez-Percés, ils chassaient aussi le bison.
- ◆Comme leurs voisins, ils s'opposèrent à l'invasion de leurs terres et luttèrent de 1853 à 1859 avec leur chef Kamaïkin. Vaincus, ils se soumirent au traité de 1855 et intégrèrent une réserve dans le Washington.
- ◆3 000 en 1780. Population actuelle impossible à évaluer, leur réserve étant ouverte à d'autres tribus (Klikitats, Palouses, Wascos).

L'aigle royal (Aquila chrysaletos) peut atteindre 2,40 m d'envergure. Il règne sur les sommets rocheux et parcourt les canyons en quête de lapins et de petits rongeurs. Mais, faute de ses proies favorites, les charognes ne le rebutent pas.

D'après une photographie, fin du XIXᵉ siècle.

TÊTES-PLATES
ET NEZ-PERCÉS

S i les Blancs ne pénétrèrent que tardivement le Plateau, leur présence se faisait déjà sentir dès la fin du XVIIIᵉ siècle, par des produits qui parvenaient aux tribus de la vallée de la Columbia et aussi, hélas, par des épidémies. On cite une tribu de Sanpoils frappée par la variole en 1782, maladie transmise par des marchandises venues de la côte et qui tua la moitié de la communauté. La grippe, la rougeole et le choléra firent également des ravages. En 1805, l'expédition Lewis et Clark guidée par Sacajawea, femme shoshone, rencontra les Nez-Percés et les plus importantes tribus du Plateau. Les explorateurs firent état à leur retour de l'hospitalité des Indiens de la région. Les relations commerciales se développèrent sur la frontière à la satisfaction de tous.

Dans les années qui suivirent, les émigrants empruntèrent toujours plus nombreux la "piste de l'Oregon" et les Indiens furent regardés comme des voisins gênants. Le gouvernement négocia une série de traités avec les tribus dont la finalité était de les déposséder progressivement de la quasi-totalité de leurs terres. Les Yakimas se révoltèrent en 1855. En 1860, on découvrit de l'or sur le territoire des Nez-Percés : ce fut la ruée. Les Nez-Percés ne possédaient plus que le huitième des terres garanties par le dernier traité de 1855... et le gouvernement fit pression pour les transférer. La tribu se souleva en 1877 sous la conduite du Chef Joseph. Vaincu l'année suivante, ce dernier se rendit avec 418 survivants, dont 87 guerriers. Déportés en Oklahoma, 103 moururent de la malaria. Quand, en 1885, sur intervention du général Miles qui les avait vaincus, le gouvernement autorisa leur retour dans le nord-ouest, ils n'étaient plus que 257 autour du Chef Joseph pour une tribu forte de 3 300 âmes dix ans plus tôt. ▲

D'après George Catlin, 1832.

De son vrai nom Hinmaton Yalatkit (Tonnerre qui vient des eaux au-delà des montagnes), Chef Joseph (1840-1904) reçut son surnom du missionnaire Spalding. Chef de guerre clairvoyant et courageux, il conduisit les Nez-Percés dans leur ultime révolte. La noblesse de son comportement imposa le respect à tous ses adversaires.

LES NEZ-PERCÉS

♦ Nom utilisé par les Français pour désigner les groupes dont certains membres avaient le nez orné d'un coquillage. Plus tard, l'usage de ce nom fut conservé pour cette seule tribu. Eux-mêmes s'appelaient *Nimipu* : "le peuple".

♦ Langue : shahaptian/penutian.

♦ Large fraction de l'Idaho et nord-est de l'Oregon (vallées de la Snake et de la Clearwater).

♦ Chasseurs de bisons.

♦ Pourtant très pacifiques, ils s'opposèrent aux actions des trappeurs entre 1830 et 1840. Cédèrent une grande partie de leur territoire au traité de Walla Walla en 1855, mais leur réserve fut envahie par les chercheurs d'or en 1860. Suite au traité de 1863, ne conservèrent que la réserve de Lapwaï. En 1877, la décision d'ouvrir la vallée de la Wallowa provoqua la révolte des Nez-Percés menés par Chef Joseph. Leur tragique odyssée prit fin en 1878.

♦ Population estimée à 4 000 en 1780. Deux siècles plus tard, 2 015 Nez-Percés vivent dans la réserve Lapwaï (Oregon).

Objet d'une grande vénération de la part des Indiens, l'ours noir (Ursus americanus) était néanmoins chassé pour sa fourrure, parure des chefs et des chamans. Sa graisse entrait dans la composition d'une pâte antimoustiques et ses griffes étaient des ornements dotés de pouvoirs mystérieux.

LES KOOTENAIS

◆ Corruption d'un de leurs noms, *Kutonaga*, par leurs ennemis Blackfeet. Les Nez-Percés et les Salishs les appelaient "hommes de l'eau".

◆ Isolat linguistique.

◆ Sud-est de la Colombie britannique, nord-ouest du Montana et nord-est du Washington.

◆ Chasseurs de bisons.

◆ Ennemis des Blackfeeet, leur relations avec les Blancs furent assez cordiales.

◆ Estimée à 1 200 en 1780, leur population occupe aujourd'hui, pour partie, une réserve au Canada (549 en 1967) et, pour partie, dans l'Idaho (123 en 1985).

D'après James Teit, fin du XIXe siècle.

D'après une photographie de 1884.

LES SALISHS
(OU FLATHEADS)

◆ La tribu Salish est plus connue sous le nom de *Flathead*, "tête plate" que les Blancs employaient à l'égard des tribus qui déformaient le crâne des jeunes enfants par un bandage frontal. Abusés par la présence de Chinooks (sans doute esclaves) dans des tribus salishs, des trappeurs canadiens surnommèrent ainsi ce peuple, alors qu'il ne pratiquait nullement cette mutilation !

◆ Langue : salishan.

◆ Vivaient à l'ouest du Montana.

◆ Chasseurs de daims et de bisons.

◆ Inexorablement refoulés vers l'ouest par leurs ennemis Blackfeet, les Flatheads vécurent en paix avec les Blancs. Ils cédèrent leur territoire au gouvernement en 1855 contre l'octroi d'une réserve au Montana.

◆ 600 individus au début de ce siècle.

Le bighorn, ou chèvre des Rocheuses (Ovis canadensis) est un animal grégaire, excellent grimpeur et bon nageur. En été, agneaux et brebis constituent des hardes d'une dizaine de têtes. En hiver, ils descendent vers les vallées avec les béliers. C'est alors que l'espèce est la plus vulnérable face aux prédateurs (loups, coyotes, ours, lynx). Car à la belle saison, seuls les aigles royaux constituent une menace sur les escarpements.

LA CÔTE NORD-OUEST

LES HOMMES DE L'ORQUE

Profonde d'environ 200 kilomètres, la région "côte nord-ouest" s'étend sur près de 2 300 kilomètres du nord au sud, de la baie Yakutat en Alaska à la frontière actuelle des Etats de l'Oregon et de la Californie aux USA. Petite en surface si on la compare à la région des Plaines ou à celle du Sub-arctique, marginale par rapport à l'ensemble du continent nord-améri-cain, cette région est en réalité l'une des plus importantes et mystérieuses du monde indien.

Il est très vraisemblable que certains des peuples qui vivaient sur cette côte, tels ceux de langues salishan et penu-tian, ont d'abord suivi les mêmes voies migratoires que les autres Indiens à travers les régions septentrionales du Canada puis les vallées des rivières dé-valant vers le Pacifique. Mais d'où venaient les autres, dont la langue n'est parlée nulle part ailleurs et qui ont développé une culture si particu-lière ? L'hypothèse logique serait la migration de peuples de marins venus du nord, des côtes de l'Alaska ou peut-être du Japon ou du Kamtchatka, via les îles Kouriles et les Aléoutiennes, portés par les courants qui suivent cette trajectoire. Hypothèse gratuite qu'aucune preuve à ce jour n'est venue étayer : les vestiges sont rarissimes du fait de l'humidité des terrains, mortelle pour des objets en bois, seul matériau utilisé. Les traces retrouvées ont simplement prouvé une présence humaine sur cette côte, 10 000 ans avant J.-C.

Faute de déchiffrer l'énigme de leur origine, il reste à constater l'intérêt majeur de la culture de ces peuples. Ils avaient élaboré une société très hiérarchisée, l'accession à un rang supérieur pouvait se faire par le jeu de l'hérédité, mais la possession de richesses était un élément tout aussi important. Celles-ci étaient une preuve d'ardeur au travail, d'habileté ou de valeurs guerrières, elles venaient à celui qui les méritait, lequel s'empressait de les redonner. Cette surpre-nante redistribution de biens se faisait cérémonieusement au cours des *potlatchs*. Tout événement important donnait lieu à potlatch

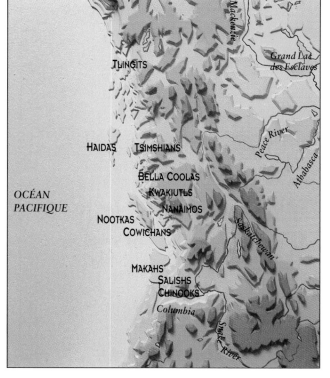

(installation dans une nouvelle demeure, accession à une dignité, enterrement...) ; on y invitait les dignitaires des autres clans en fai-sant preuve de la plus grande générosité pour affirmer ainsi la supé-riorité de son clan. Un potlatch durait plusieurs jours et pouvait réunir des centaines d'invités qu'il fal-lait nourrir et héberger. Après les céré-monies d'accueil, les festins, les danses, l'œuvre était parachevée par la distribu-tion des cadeaux, les discours des invi-tés rendant hommage à leur hôte et le remerciant de ses largesses, ces mêmes invités qui, de retour dans leur village, s'empresseraient d'organiser un potlatch pour, à leur tour, démontrer leur gran-deur. Une telle fête demandait des mois de préparatifs pour les proches de l'organisateur, les membres de son clan et les esclaves attachés à leur service — ces esclaves qui pouvaient être sur la lis-te des cadeaux au même titre qu'une pirogue, des peaux de phoque ou un baril d'huile de baleine. Ce système de valeurs associant étroitement la dignité d'un personnage et les biens en sa pos-session, la reconnaissance de son rang et sa capacité à distribuer ses richesses, inspirait tout l'équilibre de la société indienne de la région. ▲

Mammifère cétacé, l'orque (Orcinus orca) est aussi appelé épaulard ou "tueur de baleine". Il peut atteindre 9 mètres de long et sa voracité est extrême : poissons, poulpes, tortues et oiseaux de mer sont ses proies habituelles. Sa représentation est fréquente sur les totems des Indiens de la côte Pacifique.

LES SCULPTEURS DE THUYA

D'après une gravure, début du XIXᵉ siècle.

Creusés dans des troncs de thuyas, les canots de mer des Haidas étaient parfois longs de 18 mètres. Une cinquantaine d'hommes pouvait prendre place à bord.

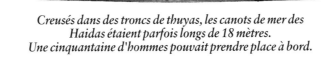

LES HAIDAS

◆ Nom dérivé de *xa'ida*, "peuple".

◆ Isolat linguistique.

◆ Etablis sur les îles du prince de Galles et de la reine Charlotte.

◆ Pêcheurs. Remarquables sculpteurs sur bois, habiles commerçants et redoutables guerriers.

◆ Visités successivement par les navires de Juan Perez (1774), Bodega (1775) et La Pérouse (1786), les Haidas furent durement touchés par la variole.

◆ Environ 8 000 en 1760, ils étaient 1 500 en 1968.

Généralement réalisé à partir d'un tronc de thuya, le totem (de l'algonquian Ototeman, "il est de ma parenté") raconte l'histoire d'une famille ou d'un clan et met en évidence l'animal protecteur qui leur est associé.

Du Nord jusqu'à la latitude de l'île de Vancouver, la côte est découpée et escarpée par les derniers reliefs des montagnes Rocheuses. Une forêt dense recouvrait autrefois le paysage jusqu'au bord de l'eau, là où les Indiens installaient leurs villages. Point d'agriculture pour ces hommes qui tiraient de la mer l'essentiel de leurs ressources alimentaires et, de la forêt environnante, le matériau indispensable pour leurs constructions et leur artisanat.

La saison de la pêche commençait dans le courant du printemps et se terminait en septembre. La mer était riche en poissons (harengs, thons, éperlans...) et de nombreuses espèces de mammifères marins s'offraient aux coups des pêcheurs : phoques, loutres et lions de mer, dauphins... Une baleine échouée était une aubaine car seuls les Nootkas et les Makahs osaient s'aventurer en haute mer pour chasser le plus gros des cétacés. En bord de mer, la pêche se complétait par des récoltes importantes de coquillages (moules, clams) et d'œufs d'oiseaux de mer.

A la fin du printemps, les rivières étaient envahies par la migration annuelle des saumons remontant vers les zones de frai. Cette pêche mobilisait longuement hommes et femmes pendant la belle saison : ils quittaient leurs villages et s'installaient le long des rivières. Comme leurs frères du Plateau ou les Aleuts de l'Alaska, les Indiens de la côte usaient de tous les moyens possibles pour piéger le maximum de proies : harpons, nasses, barrages... Une cérémonie saluait la première prise : dans de nombreuses tribus, les Indiens croyaient que des hommes morts se réincarnaient en saumons pour venir nourrir leurs frères vivants ; une telle cérémonie devait les inciter à revenir l'année suivante. Les femmes se chargeaient de vider les poissons et de les faire sécher sur des claies. L'automne venu, seule se pratiquait la pêche à la morue ou au flétan. C'était aussi la période où les Indiens se tournaient vers la forêt pour chasser. Malgré la densité de la végétation et le relief difficile, l'entreprise était payante car le gibier abondait : chèvres des montagnes, cerfs, élans, ours... et toutes sortes de petits animaux à fourrure : castors, loutres, martres, marmottes, rats musqués, écureuils. A travers ces activités de pêche et de chasse, les Indiens de la côte nord-ouest ressemblaient fort aux autres habitants du continent. C'est quand ils posaient harpons, arcs et flèches que leur différence se faisait jour. ▲

Plusieurs familles Haidas trouvaient place dans ces grandes maisons, bâties de rondins et de planches.

LES TSIMISHIANS

◆ Nom signifiant "peuple de la rivière Skeena".

◆ Langue : penutian.

◆ Estuaire du fleuve Skeena.

◆ Pêcheurs (saumons), chasseurs (ours, cerfs). Très liés aux Haidas et Tlingits, quoique beaucoup moins guerriers. Adroits sculpteurs sur bois, os et ivoire.

◆ N'eurent que de rares contacts avec le monde blanc jusqu'à l'installation de la compagnie de la baie d'Hudson (1831). Subirent ensuite la pression des chercheurs d'or et autres prospecteurs.

◆ Population estimée à 5 000 âmes au début du XIXᵉ siècle. Ils étaient 1 700 en 1968.

Cette hache en pierre était utilisée au combat par les Kwakiutls. Elle leur servait également à exécuter les esclaves rebelles.

D'après une photographie, fin du XIXᵉ siècle.

Danseur masqué Hamatsa.

LES KWAKIUTLS

◆ Deux significations possibles : "fumée du monde" ou, plus sûrement, "rivage au nord" de la rivière.

◆ Langue : wakashan (seconde division avec les Bella Bellas).

◆ Occupaient les rives du détroit de la reine Charlotte et le nord de l'île de Vancouver.

◆ Navigateurs réputés, pêcheurs et chasseurs. Habiles sculpteurs et bons commerçants.

◆ Après le passage de Bodega (1775), ils surent accueillir explorateurs et négociants anglais et américains. Parvinrent à préserver leur culture malgré les efforts des missionnaires.

◆ Environ 4 500 en 1780, ils étaient 2 500 en 1968.

Danseur Kwakiutl (Hamatsa), fin du XIXᵉ siècle.

DES BALEINES ET DES HOMMES

LES TLINGITS

♦ Nom dérivé de *Lingit*, "peuple".

♦ Isolat linguistique.

♦ Iles de l'archipel Alexandre, aux confins de l'Alaska.

♦ Pêcheurs de saumons, sculpteurs et vanniers. Commerçants actifs et guerriers redoutés.

♦ Premiers contacts avec les Russes. A la suite de l'expédition de Chirikov (1741), ceux-ci installèrent une tête de pont dans l'île Baranov et entretinrent des rapports difficiles avec les Tlingits. Rude épidémie de variole en 1837. Trente ans plus tard, les Russes cédèrent aux Etats-Unis l'Alaska et la côte des Tlingits.

♦ Population stable : 10 000 en 1750, 8 500 en 1985.

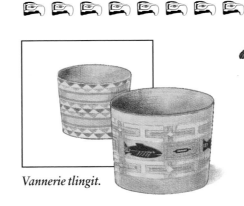

Vannerie tlingit.

D'après Mikhail Tikanov, 1818.

D'après Mikhail Tikanov, 1818.

Ces hommes étaient aussi des guerriers redoutables. Leur orgueilleux souci de respectabilité les rendait peu aptes à pardonner les affronts. Des opérations guerrières longuement préfacées étaient déclenchées pour laver toute offense et se soldaient par des morts, des scalps, des têtes coupées, quelques survivants emmenés en esclavage... et le pillage systématique des biens des vaincus.

De l'automne au printemps, quand ils ne se consacraient pas à la préparation d'un potlatch ou à des activités artistiques ou guerrières, les Indiens de la côte nord-ouest s'adonnaient avec dynamisme au commerce. Au-delà des échanges de voisinage entre tribus, une activité importante existait entre la côte et les régions de l'intérieur. Au sud, les Chinooks, par la rivière Columbia, étaient en relations avec les Indiens du Plateau, mais l'essentiel des produits de la côte transitait par les Tlingits. Peuple guerrier et entreprenant, ceux-ci étaient aussi habiles commerçants sachant tirer profit de toutes les transactions. Situés à l'extrême nord, c'est par eux que passait le commerce avec les peuples de l'Alaska et, à l'est, avec les Athabascans. Les produits de la côte (coquillages, os et huile de baleine) s'échangeaient contre les peaux de caribou et le cuivre.

Comme la plupart des autres tribus de la côte, les Tlingits respectaient la lignée familiale par les femmes — d'où un réseau complexe de responsabilités au sein des familles. Un père s'occupait de l'éducation des enfants de sa sœur alors que ses propres enfants dépendaient de l'autorité du frère de sa femme. La transmission du savoir était essentiellement orale et, très tôt, les enfants apprenaient de leurs aînés l'histoire du clan, les exploits de ses plus glorieux guerriers. Une stricte discipline s'exerçait sur les jeunes et les filles devaient être chastes jusqu'au mariage. Leur passage de l'enfance à l'état de femme s'accompagnait de rites rigoureux et contraignants : jeûne absolu de plusieurs jours, immobilité totale en position assise dans une petite hutte à l'écart du village, obligation de se frotter les lèvres et le visage avec une pierre dure huit heures par jour... Le non-respect de ces rites augurait mal du reste de la vie de la jeune fille. La fin de son épreuve s'achevait par la pose d'un "labret" dans la lèvre inférieure.

Le mariage était bien moins une affaire de sentiments qu'un moyen d'accroître la richesse du clan. La cérémonie du mariage se ponctuait évidemment de plusieurs remises de cadeaux.▲

Pêche à la baleine.

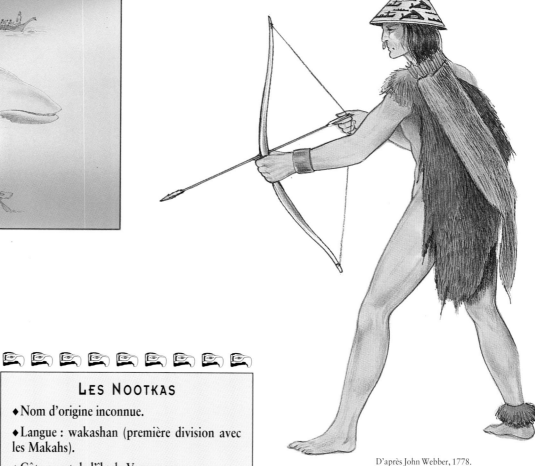

D'après José Cardero, 1791.

LES NOOTKAS

◆ Nom d'origine inconnue.

◆ Langue : wakashan (première division avec les Makahs).

◆ Côte ouest de l'île de Vancouver.

◆ Grands chasseurs de mammifères marins (baleines, phoques, dauphins).

◆ Visités précocement par Juan de Fuca (1592), puis Perez (1774), Cook (1778) et Vancouver (1792). La fondation de Victoria (1843) marqua la fin de leur indépendance culturelle. Convertis au catholicisme.

◆ 6 000 Nootkas en 1780. 3 200 en 1967, répartis dans la province de Colombie britannique (Canada).

LES MAKAHS

◆ Nom signifiant "peuple du cap".

◆ Langue : wakashan.

◆ Peuplaient les abords du cap Flattery (aujourd'hui frontière américano-canadienne), face à l'île de Vancouver.

◆ Vivaient de la cueillette et de la pêche. Ils chassaient aussi phoques et baleines.

◆ Cédèrent leur territoire au gouvernement des USA en 1855. Ils se virent pourtant attribuer sur place une petite réserve en 1893.

◆ Estimés à 2 000 en 1780, les Makahs sont encore un millier à Neah Bay.

Hôte des montagnes Rocheuses, de l'Alaska au Wyoming, le grizzly (Ursus horribilis) peut atteindre plus de deux mètres quand il se dresse sur ses pattes. Cet omnivore fait ses délices de plantes diverses, de fruits, de champignons, d'insectes, de mammifères variés et même de charognes. Grand amateur de poissons, il pêche le saumon avec dextérité. S'il évite l'homme, il reste dangereux car imprévisible.

DE FRUCTUEUX ECHANGES

LES CHINOOKS

◆ De *Tsinuk*, nom que leur donnaient leurs voisins Chehalis. Etaient également surnommés les "têtes plates" parce qu'ils déformaient le crâne de leurs enfants.

◆ Langue : chinookan. Ne doit pas être confondue avec le chinook, langue commerciale utilisée au XIXᵉ siècle dans la région pour favoriser les échanges.

◆ Nord de l'estuaire de la Columbia, près de l'actuel site de Seattle.

◆ Pêcheurs, ils s'imposèrent aussi comme animateurs du commerce entre tribus, puis entre Indiens et Blancs.

◆ L'Anglais John Meares, à la recherche de fourrures, les rencontra en 1788, l'expédition Lewis et Clark les visita en 1805. Les Chinooks furent décimés par la variole en 1829. Leurs survivants ont été absorbés progressivement par d'autres tribus comme les Chehalis.

D'après une gravure anonyme, vers 1880.

Si les Indiens de la côte accumulaient des richesses afin de persuader les autres (et eux-mêmes) de leur propre grandeur, cette obsession s'accommodait fort bien des interventions de forces surnaturelles. Les chamans en étaient les instruments. Hommes ou femmes, ils disposaient d'un pouvoir aussi important que le chef de tribu. Ils étaient craints pour leur allure effrayante et les pouvoirs qu'ils prétendaient détenir : divination, traitement des maladies...

Dans le nord, les rites des chamans s'exerçaient en la seule présence de ceux qui sollicitaient leur pratique : intervention confidentielle, peut-être plus humaine. Dans le sud, chez les Kwakiutls en particulier, le pouvoir des chamans se manifestait à travers de puissantes sociétés (celles des "Mangeurs de Chiens", de "Ceux qui descendent du ciel" et la célèbre société Hamatsa "les danseurs cannibales"). Leurs initiés se recrutaient essentiellement parmi les plus riches de la tribu, ceux qui pouvaient rétribuer les chamans. Les cérémonies d'initiation prenaient un caractère effrayant dans le but d'impressionner et de renforcer le pouvoir d'une élite — chamans et membres de la société — sur le reste de la tribu.

Les Indiens de la côte nord-ouest n'ont été que tardivement au contact du monde européen. Les premiers furent, en 1741, les Russes avec les deux vaisseaux de l'expédition Béring, le *Saint-Pierre* et le *Saint-Paul*. Une tempête sépara les deux bateaux et le *Saint-Paul* commandé par le capitaine Alexis Chirikov aborda une côte inconnue, en fait l'île Chickagof à 58° de latitude nord. Ils trouvè-

rent des traces de présence humaine et crurent apercevoir des canots montés par des guerriers. Quelques marins envoyés en exploration ne revinrent jamais.

En 1773, le roi Charles III d'Espagne, ayant eu connaissance des mésaventures russes, ordonna à une flottille placée sous le commandement de Juan Perez de prendre possession de toutes les terres situées au sud du 60° de latitude nord. Quand ils abordèrent l'île de la reine Charlotte, les Espagnols rencontrèrent les Haïdas qui les étonnèrent par leur sens du marchandage. En 1778, James Cook, poursuivant son troisième voyage dans le Pacifique, rencontra les Nootkas sur l'île de Vancouver. Les Indiens étaient avides d'acquérir des objets en fer (couteaux, outils) ; les Européens voulaient des fourrures. L'échange aurait pu être profitable aux deux parties si la cupidité de certains Européens n'avait irrité des Indiens pourtant rompus aux subtilités du troc. Les rapports se dégradèrent rapidement dans les années suivantes. Le navigateur français La Pérouse qui explorait la côte des Tlingits en 1786 fit état dans ses rapports de l'attitude agressive des Indiens tempérée, fort heureusement pour les Blancs, par la crainte des armes à feu. Une fois de plus, malgré l'intérêt qu'il y avait à échanger pour mieux se connaître, il s'était établi entre les deux mondes une incompréhension inspirée par l'orgueil, l'agressivité ou la cupidité. ▲

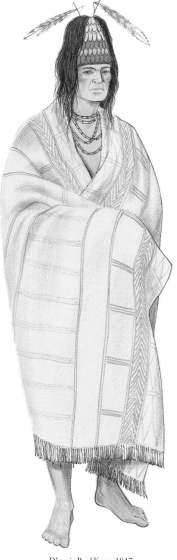

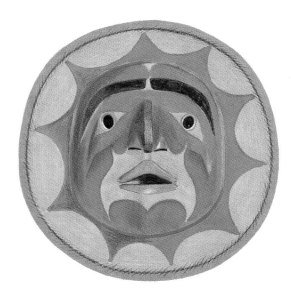

Masque du soleil Bella Coola.

LES TRIBUS SALISHS

◆De nombreux groupes de langue salishan occupaient les îles et côtes de la région : Bella Coolas, Comoxs, Nanaimos, Klallams, Nisquallis, Puyallups, Skagits. Ils commerçaient activement avec les Salishs de l'intérieur.

◆Les plus nombreux et influents furent sans doute les Cowichans, installés au sud-est de l'île de Vancouver.

*La loutre de mer (*Enhydra lutris*) peut nager à vive allure en restant quatre à cinq minutes sous l'eau. Elle se nourrit de coquillages, crabes, oursins et petits poissons. Elle confectionne une litière d'algues pour dormir, et se réfugie à terre en cas de danger (approche d'orques ou requins, tempêtes).*

LE SUBARCTIQUE

LES HOMMES DU CARIBOU

La région subarctique recouvre la plus grande partie du Canada et de l'Alaska. Cet espace immense s'est modifié depuis le milieu du XIXᵉ siècle sous la pression de la modernité mais il n'a pas subi les transformations radicales qui ont touché, par exemple, l'est et le centre des Etats-Unis : croissance démographique, forte industrialisation, déforestation rapide... La migration européenne préféra progresser vers l'ouest plutôt qu'obliquer au nord des Grands Lacs où, la majeure partie de l'année, les hommes de la forêt et de la toundra subissent les rigueurs des plus grands froids. L'aire subarctique peut se subdiviser en trois parties :

1) Une zone très montagneuse, englobant l'Alaska, le Yukon et la Colombie britannique, constituée par l'extrémité septentrionale des Rocheuses et dominée par l'imposante chaîne St. Elias où culmine le Mont Mc Kinley (6 194 m). De puissants glaciers alimentent des rivières où abondent les saumons. A moyenne et basse altitude, la région est couverte d'une épaisse végétation abritant une faune variée : cervidés (orignaux, caribous, chèvres des montagnes, mouflons), ours (grizzlis, ours noirs).

2) La *toundra*, limitée au nord par le littoral arctique et comprenant les actuels territoires du nord-ouest canadien et la partie la plus septentrionale du Labrador. Isolés du Pacifique par les importantes chaînes côtières, ces territoires reçoivent de rares précipitations. Même pendant le long hiver de huit mois, la couche de neige excède à peine 30 centimètres... mais le sol est gelé sur une profondeur de 300 mètres (le *permafrost*). Le dégel au printemps permet la floraison d'une végétation où dominent les lichens et qui attire les vols de nombreux oiseaux migrateurs.

3) Plus au sud, la *taïga*, vaste forêt de pins et de bouleaux, s'étend de l'Atlantique aux Rocheuses ; elle englobe une part importante du Québec, de l'Ontario, du Manitoba et de l'Alberta. Sous un climat moins rude, la forêt abrite de nombreux animaux : castors, rats musqués, renards, orignaux, caribous, cerfs, loups, ours noirs.

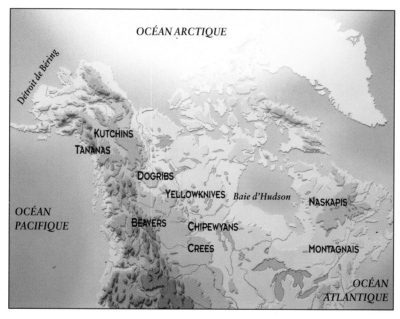

Avec des variations suivant les latitudes, ces trois régions ont en commun un climat continental d'une grande rigueur, aux écarts de température importants : étés courts et chauds, hivers interminables avec des chutes de température à -30° C.

Des Indiens de deux familles linguistiques se partageaient le Subarctique : à l'est, les Algonquins (Naskapis, Montagnais, Ojibwas, Crees...), à l'ouest et au nord, des Athabascans (ceux de la division nord de la langue que l'on appelle aussi *tinneh* ou *déné*) avec les Chipewyans, Yellowknives, Dogribs, Beavers, Kaskas, Tahltas, Carriers, Kutchins, Tutchones, Koyukons, Tananas... Les Athabascans de la toundra qui occupaient les régions les plus froides et pauvres en ressources se déplaçaient en petites bandes d'une ou deux familles : pacifiques de tempérament, ils consacraient l'essentiel de leur énergie à la recherche de nourriture. Les Algonquins qui, majoritairement, vivaient dans la forêt profitaient d'un environnement plus riche et plus clément. Ils étaient semi-nomades et souvent agressifs quand, par hasard, des voisins venaient à pénétrer sur leurs territoires de chasse. ▲

*Version américaine du cerf européen ou asiatique, le caribou (*Rangifer taraudus*) est un animal grégaire qui se déplace parfois en immenses troupeaux de plusieurs milliers de têtes. En hiver, les lichens constituent l'essentiel de sa nourriture ; à la belle saison, il mange aussi herbes, joncs, champignons, brindilles de bouleau et de saule.*

CHASSEURS DU GRAND NORD

D'après Alexander Murray, 1847.

Un point commun unissait tous ces peuples : le caribou, animal qui se déplaçait en troupeaux innombrables. Comme le bison pour les Indiens des plaines, il fournissait viande, peaux et divers matériaux indispensables — os, andouillers, nerfs pour les armes et les outils. Les migrations des caribous conditionnaient le nomadisme des Indiens : déplacement vers le nord dès l'arrivée des beaux jours pour la naissance des jeunes bêtes, reflux vers la forêt au retour des grands froids. Vivant aux limites de la toundra et de la taïga, les Chipewyans étaient de ceux dont l'existence se rythmait au gré de telles migrations.

De camp d'été en camp d'hiver, ils ne séjournaient jamais longtemps au même endroit. Leurs abris d'été, simples tipis recouverts de peaux, devaient s'installer et se démonter rapidement. Le camp établi, chacun s'activait à ses tâches habituelles. Les hommes chassaient, pêchaient ou construisaient un canot ; les femmes s'occupaient du feu, de l'eau, de la cuisine et, au retour des chasseurs, prenaient également en charge le dépeçage des animaux, le séchage de la viande, le tannage des peaux et la confection des vêtements. Lors des déplacements, elles transportaient l'essentiel des charges. Malgré ces multiples tâches, elles n'étaient guère favorisées en retour, ne prenant leur repas qu'après les hommes et seulement dans la mesure où il restait quelque chose à manger ! Cet état de subordination était fréquent dans les tribus qui subissaient des conditions de vie difficiles. La nécessité d'assurer l'approvisionnement en nourriture, essentiel pour la survie de la communauté, faisait que le rôle du chasseur, donc de l'homme, était prépondérant. En hiver, sur les traces des animaux qu'ils pourchassaient, les Chipewyans établissaient leurs campements plus au sud, dans la forêt. ▲

LES KUTCHINS

♦ Etymologiquement : "peuple". Appelés aussi *Loucheux*.

♦ Langue : athabascan.

♦ Région comprise entre la haute vallée du Yukon et l'embouchure de la rivière Mackenzie.

♦ Très hospitaliers, ils avaient malgré tout la réputation d'être plus agressifs que les autres Athabascans. Grands chasseurs et piégeurs d'animaux à fourrure.

♦ Les Kutchins étaient, en fait, un groupe de tribus ayant chacune leur territoire : Kutcha, Dihai, Tennuth, Takkuth, Tatlit...

♦ Alexandre Mackenzie les rencontra en 1789. Leurs relations avec le monde blanc s'établirent ensuite par le biais de la Compagnie de la baie d'Hudson. La découverte de l'or dans la vallée du Klondike bouleversa leur vie nomade et libre.

♦ Population totale évaluée à 1 200 individus en 1936.

D'après Frederick Whymper, 1868.

Proche des variétés européennes, ce bel oiseau (Dendragapus canadensis) peuplait la taïga et la toundra subarctiques. La ruffed grouse (Bonasa umbellus) partageait le même biotope.

LES TANANAS

♦ Longtemps appelés *Tenan-Kutchin* ("peuple de la montagne") et considérés à tort comme l'une des tribus kutchin. Portent désormais le nom de la rivière Tanana, affluent du Yukon.

♦ Langue : athabascan.

♦ Cours inférieur de la rivière Tanana (Alaska).

♦ Fiers guerriers, redoutés de leurs voisins, ils étaient également réputés pour la qualité d'ornementation de leurs parkas. Chasseurs de caribous et d'élans.

♦ 415 individus en 1910. Estimations antérieures très incertaines.

D'après Emile Petitot, 1860.

LES DOGRIBS

◆ Leur nom, *Thlingchadinne*, signifiait "peuple du flanc du chien". Selon une légende, cette tribu était née de l'union d'une femme et d'un être surnaturel moitié homme, moitié chien.

◆ Langue : athabascan.

◆ Territoire séparant le Grand Lac de l'Ours et le Grand Lac des Esclaves.

◆ Vivaient en bonne intelligence avec leurs voisins Slaves, dont ils partageaient la réputation de peuple pacifique. Grands, peu communicatifs, ils chassaient le caribou et le bœuf musqué. Portaient moustache et barbe.

◆ Repoussés vers le nord par les incursions Crees, ils s'exclurent d'eux-mêmes du commerce des fourrures par crainte de traverser le territoire de tribus rivales.

◆ Population estimée à 1 250 en 1670, ils étaient 1 150 en 1906.

LES YELLOWKNIVES

◆ Leur vrai nom, *Tatsanottine*, signifiait "hommes de l'écume de l'eau". Plus connus sous les noms de *Copper Indians* ("Indiens du cuivre"), *Couteaux-Jaunes* ou *Couteaux-Rouges*, autant de noms faisant référence au minerai de la Coppermine River.

◆ Langue : athabascan.

◆ Rives nord et est du Grand Lac des Esclaves.

◆ Chasseurs de caribous et de bœufs musqués.

◆ L'histoire des Tatsanottines a la couleur du cuivre. Riches de ce minerai qui permettait de fabriquer armes et outils, ils bénéficiaient d'une aisance privilégiée. Mais lorsque les Européens introduisirent sur le marché des articles en fer et en acier, les Yellowknives, impuissants devant une telle concurrence, migrèrent lentement vers le sud.

◆ Leur effectif était estimé à 500 en 1906.

D'après Robert Wood, 1821.

LES CHIPEWYANS

◆ Contraction de l'algonquin-cree *chipwayanawok*, signifiant "peaux en pointe", en référence aux tuniques des Athabascans.

◆ Langue : athabascan.

◆ Territoire compris entre le lac des Esclaves au nord-ouest, le lac Athabasca au sud-ouest et la baie d'Hudson à l'est.

◆ Chasseurs de caribous et pêcheurs. L'abbé Petitot leur attribua les mêmes qualités que leurs voisins : "innocents et naturels dans leur vie et leurs manières, du bon sens et le goût de la justice".

◆ Adversaires ancestraux des Crees algonquins, les Chipewyans durent céder devant ceux-ci lors de l'arrivée des Blancs (1717) et l'extension du commerce des fourrures. Ils furent repoussés vers le nord et l'ouest, jusqu'à l'épidémie de variole (1779) qui frappa durement les deux peuples.

◆ 3 500 au début du XVIIIe s. 4 643 de leurs descendants furent recensés en 1970.

D'après Emile Petitot, 1862.

Du Manitoba au Labrador

D'après Peter Rindisbacker, 1821.

Les Crees

♦ Contraction de *Christinaux*, forme française de *Kenistenoag*, l'un de leurs noms. Eux-mêmes s'appelaient *Iyiniwok*, "ceux de la première race". Les Athabascans du nord les désignaient du nom de *Enna*, "ennemis".

♦ Langue : algonquin.

♦ Peuple charnière entre Algonquins et Athabascans, les Crees étaient scindés en deux branches : les Crees des Plaines (voir p. 37) et les Crees des Bois qui occupaient l'espace entre la rive ouest de la baie James et le lac Athabasca. Connue sous le nom de *Têtes de Boule*, une bande cree de chasseurs nomades vivait aussi au Québec.

♦ Chasseurs et pêcheurs, les Crees des Bois excellaient dans la conduite de leurs canots en écorce de bouleau.

♦ Stratégiquement établis, les Crees furent au cœur de la concurrence franco-anglaise pour le contrôle du commerce des fourrures. Alliés au peuple frère Chippewa, ils entretinrent de bons rapports avec les Blancs, au détriment des Athabascans du nord et de l'ouest.

♦ Estimée à 15 000 individus en 1776, la population cree fut sévèrement touchée par la variole. Tombés à 2500 au XIXᵉ siècle, les Crees seraient aujourd'hui 10 000 au Manitoba, et 5 000 dans les Territoires du Nord.

Les Athabascans du Nord-Canada et de l'Alaska affrontaient des froids extrêmes, la température descendant fréquemment à moins 60° C. A demi enterrés, leurs abris comportaient deux épaisseurs de peaux pour assurer une meilleure protection. Les Algonquins partageaient les mêmes épreuves, mais leur environnement offrait une plus grande variété de gibier (castors, porcs-épics, canards, oies). Les grands animaux (caribous et orignaux) étaient plus vulnérables dans la neige profonde où ils s'enfonçaient que sur le sol gelé de la toundra.

Tous les Indiens du Subarctique attendaient le printemps comme une délivrance. Ils allaient pouvoir à nouveau s'adonner à leurs activités traditionnelles : pêche aux truites pour les Naskapis, chasse au rat musqué pour les Kutchins et les Koyukons, fabrication du sirop d'érable pour les Algonquins... Le printemps était aussi le temps des retrouvailles entre tribus amies et l'occasion d'échanges : silex, fourrures, objets en cuivre (couteaux, alênes) changeaient alors de mains. Durant les mois suivants, les Athabascans de l'ouest reprenaient activement la pêche au saumon et, tous, leur course derrière les troupeaux de caribous migrant du sud au nord à travers les grands espaces. Les chasseurs chipewyans parcouraient à nouveau la toundra, la taille ceinte de cornes de caribou : en s'entrechoquant, celles-ci attiraient quelque mâle solitaire croyant venir participer à un combat pour la possession d'une femelle. Les femmes Naskapis fumaient viande et poissons et les Ojibwas récoltaient le riz sauvage sur les bords du lac Supérieur.

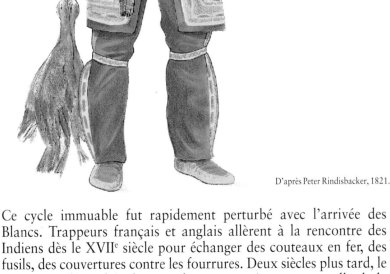

D'après Peter Rindisbacker, 1821.

Ce cycle immuable fut rapidement perturbé avec l'arrivée des Blancs. Trappeurs français et anglais allèrent à la rencontre des Indiens dès le XVIIᵉ siècle pour échanger des couteaux en fer, des fusils, des couvertures contre les fourrures. Deux siècles plus tard, le commerce dépendait des grandes compagnies, comme celle de la Baie d'Hudson. A leurs comptoirs, les Indiens venaient s'approvisionner : fusils, poudre, couteaux, haches devenaient leur propriété, tarifés suivant la seule monnaie en vigueur : la peau de castor. ▲

LES NASKAPIS

◆ Nom donné par les Montagnais et signifiant rustique, rude, dur. Eux-mêmes s'appelaient *Nanenot*, "les vrais hommes".

◆ Langue : algonquin.

◆ Région centrale du Labrador.

◆ Chasseurs de caribous et de petit gibier.

◆ Alliés à leurs voisins Montagnais. Leurs seuls ennemis étaient les Inuits établis plus au nord.

◆ Quelques centaines de Naskapis vivent au Québec.

Le loup (Canis lupus) *peuplait tout le nord du continent. Animal intelligent et grégaire, il vivait et chassait en meutes de 5 à 7, parfois 15 individus. Bien que prédateur concurrent du chasseur indien, le loup était un animal tabou pour la plupart des Athabascans, en particulier pour les Chipewyans qui l'assimilaient au chien, lui-même frère de l'homme.*

Afin d'inciter les grands oiseaux migrateurs à se poser et, ainsi, à s'exposer à leurs traits ou à leurs pièges, les Indiens confectionnaient des leurres. Divers matériaux pouvaient être utilisés ; le plus fréquent était le bois, récupéré au bord des lacs ou des rivières.

D'après une gravure du XIXᵉ siècle.

LES MONTAGNAIS

◆ Nom donné par les Français, en raison de la topographie de leur territoire. Eux-mêmes s'appelaient *Ne-enoilno*, "peuple parfait".

◆ Langue : algonquin.

◆ Sud du Labrador, entre l'estuaire du Saint-Laurent et la baie James.

◆ Pêcheurs et chasseurs. Nomades par bandes de 50 à 100 individus.

◆ Liés aux Naskapis et aux Crees par de grandes similitudes de langage. Leurs ennemis traditionnels étaient les Micmacs et, surtout, les Iroquois. Largement évangélisés, ils devinrent de fidèles partenaires des Français dans le commerce et la guerre. La raréfaction des animaux à fourrure, la famine, la guerre et les épidémies les menacèrent d'extinction.

◆ Environ 7 000 Montagnais vivent dans neuf réserves au Québec.

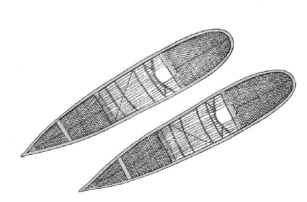

Très étroites, les raquettes des Kutchins et de leurs voisins pouvaient atteindre 75 cm de long. Les Algonquins préféraient des formes plus ovalisées. Elles permettaient aux chasseurs de se déplacer rapidement sur la neige, un avantage majeur dans la poursuite des grands animaux.

D'après David Pelletier, 1613.

L'AIRE ARCTIQUE

LES HOMMES DU PHOQUE

Alors que le détroit de Béring fut le passage obligé pour les peuples du centre de l'Asie, la migration Inuit fut le fait d'hommes qui vivaient au nord-est de la Sibérie, au voisinage du cercle polaire, et qui se déplacèrent lentement vers l'est et l'actuel Alaska. Migration par la banquise ou par voie d'eau, qui se poursuivit vers l'extrême nord canadien et le Groenland. Ces peuples furent sans doute les derniers à passer d'Asie en Amérique (vers 3 000 av J.-C.) ; ils restèrent plus proches par la culture et la langue de leurs cousins nord-sibériens que des Indiens du continent. Les Inuits ("hommes" dans leur langage) devinrent, pour leurs voisins du sud, les Esquimaux (de *Askimon* en algonquin-cree : "il mange cru"), allusion à leur habitude de consommer sans cuisson la viande de phoque.

On peut distinguer trois zones principales dans ce monde inuit qui s'étend sur plus de 7 000 kilomètres d'ouest en est :

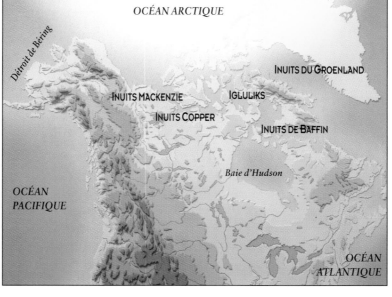

— A l'ouest, tout le littoral de l'Alaska, des îles Aléoutiennes à l'embouchure du Mackenzie. Les Aléoutes, les plus au sud, construisaient leurs habitations avec du bois et des ossements de cétacés ; les plus septentrionaux vivaient dans des abris à demi enterrés recouverts de terre.
— A l'extrémité est, le Groenland. Les Inuits y vivaient dans des constructions en pierre et chassaient les baleines dans le détroit de Davis. Ils furent dès le Xe siècle en contact avec les Vikings ; de ce rapprochement naquit un fructueux commerce de peaux, de fourrures et d'ivoire entre le Groenland et l'Europe du nord.
— La région centrale, du Mackenzie aux rives nord du Labrador, englobant les îles et les territoires autour de la partie septentrionale de la baie d'Hudson. Dans ces espaces, les Inuits ont dû affronter les rigueurs d'une nature hostile et mener un incessant combat pour leur survie dans les immensités de glace balayées par les vents polaires. Le vieillard qui ne pouvait suivre était abandonné avec quelques vivres dans un abri de glace. Si la nourriture venait à manquer, le cannibalisme pouvait être un recours : un enfant, généralement une fille, était sacrifié... Car les garçons étaient de futurs chasseurs. Rien ne devait compromettre la survie de la communauté.

Cette effrayante rigueur de vie n'était adoucie que par la relation que les Inuits entretenaient avec la nature et le surnaturel, leur conviction que les âmes des hommes et des animaux passaient de vie en vie, d'une espèce à l'autre. Cette vision les contraignait à respecter un ensemble complexe de rituels. Il fallait toujours, par exemple, séparer les activités de chasse et de pêche, ne pas utiliser les mêmes armes, ne pas porter les mêmes vêtements pour l'une et l'autre activité... ne pas manger la chair du caribou le même jour que celle du phoque. L'animal piégé était exécuté selon un cérémonial précis : son âme devait être remerciée pour le succès accordé au chasseur. Satisfaite des égards qu'on lui avait témoignés, cette âme irait habiter un autre animal et s'offrirait à nouveau aux coups des hommes. ▲

Le phoque (Phoca hispida) est présent dans toute la zone arctique, de l'Alaska au Labrador et Terre-Neuve. Il peut rester immergé pendant plus de 20 minutes, mais, le plus souvent, revient respirer en surface toutes les trois minutes par les trous qu'il a creusés dans la glace.

CHASSEURS INUITS

Chasse au phoque.

Pendant l'hiver arctique, long crépuscule faiblement éclairé par un soleil qui n'apparaît que quelques heures par jour au-dessus de l'horizon, le sol de la toundra était recouvert de glace et de neige. Les hommes ne pouvaient trouver subsistance que sur le littoral pour y chasser le phoque. Il leur fallait retrouver la baie où l'on avait chassé les années précédentes, mais le plus difficile restait à localiser les trous dans la glace, là où les phoques venaient respirer à intervalles réguliers. C'est grâce au flair de son chien, le husky, que le chasseur pouvait les découvrir. Pendant l'été, le long des côtes de l'Alaska et du Labrador, les Inuits pouvaient s'adonner à bord de leur *kayak* aux risques — et aux plaisirs — de la chasse aux morses. Sur une mer momentanément libérée des glaces, ils se lançaient aussi à la poursuite des cétacés : baleines, cachalots, narvals, marsouins... Cette dernière chasse se pratiquait à bord des *umiaks*, embarcations de dix mètres construites avec des os et des peaux de baleines.

Les Inuits se déplaçaient en bandes de 40 à 50 individus, soit 10 à 15 chasseurs. Ils n'avaient pas de chef mais, pour les opérations de chasse, un responsable, le plus expérimenté, était souvent désigné. Le seul à détenir une parcelle de pouvoir était le chaman. Chasseur, père de famille comme les autres membres de la communauté, il était capable d'entrer en relation avec les esprits et possédait le don de soigner, voire de guérir. A quelques variantes près, ces peuples, de l'Alaska au Groenland, parlaient la même langue : l'aléoutien. Malgré des conditions de vie très difficiles, les Inuits étaient des hommes heureux et accueillants, leur vie communautaire était empreinte de chaleur et d'amitié. ▲

Inuits de Baffin, d'après John White, XVIe siècle.

Umiak et Kayak.

Travail sur ivoire avec un foret à archet.

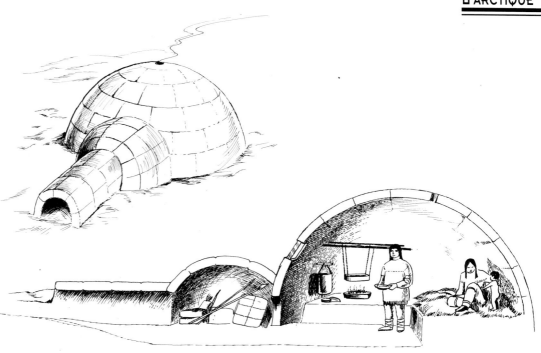

Extérieur et intérieur de l'igloo Inuit.

Inuit du Mackenzie, fin du XIXᵉ siècle.

Inuit iglulit, XIXᵉ siècle.

Inuit Copper, XIXᵉ siècle.

Inuit du nord Groenland, XIXᵉ siècle.

INDEX
DES PEUPLES INDIENS

*Les chiffres imprimés en gras renvoient à
la page où figure la fiche de présentation de la tribu.*

IOWA. d'après George Catlin, 1844.

L'auteur remercie les organismes suivants,
qui l'ont aidé et appuyé dans ses recherches :

Musée de l'Homme, Paris (département Amérique)
Centre culturel américain, Paris
Centre culturel canadien, Paris
Centre culturel espagnol, Paris
Mojave County Historical Society, Kingman (Arizona)
Arizona State Museum, Tucson (Arizona)
Historical Association of Southern Florida, Miami (Floride)
Clearwater historical Society, Orofino (Idaho)
Appaloosa Museum, Moscow (Idaho)
Field Museum, Chicago (Illinois)
Historical Museum, Lansing (Michigan)
Winnebago Area Museum
State Museum, Jefferson City (Missouri)
Iroquois Indian Museum
Cherokee Historical Society, Tahlequah (Oklahoma)
Pawnee Bill State Park, Pawnee (Oklahoma)
Provincial Museum, Edmonton (Alberta)
Museum of Northern British Columbia, Prince Rupert
Museum of Natural History, Regina (Saskatchewan)
Vancouver museum
The Fine Arts Museum, San Francisco (Californie)
South Bannock County Historical Center, Lava Spring (Idaho)
Kansas state Historical Society, Topeka (Kansas)
Six Nations Indian Museum, Onchiota (New York)
The Five Civilized Tribes Museum, Muskogee (Oklahoma)

Sioux Indian Museum, Rapid City (S. Dakota)
Buffalo Bill Historical Center, Cody (Wyoming)
Algonquin Park, Whitney (Ontario)
Huron County Museum, Godemich (Ontario)
Musée Canadien des Civilisations, Hull (Québec)

Remerciements particuliers :

à Mme Anne Vitard et M. Daniel Lévine du musée de l'Homme à Paris,
à Melle Carole Caraguel et à MM. Eric Bondoux, Maurice Delange,
Philippe Grasset, Bernard Gilson, Olivier Legay et Roland Schmitt.

© Editions Casterman s.a. 1993
ISBN 2-203-11633-1

Toutes les cartes et illustrations de cet ouvrage sont l'œuvre de l'auteur.
Conception graphique : Nathalie Pecquet, Paris.
Crédits photographiques :
A. Thomas, Explorer, p. 2 et 32 / G. Boutin, Explorer,
p. 6 et 11 / S. Cordier, Explorer,
p. 52 / J.-L. Georges, Explorer, p. 60 / M. Koene, Explorer,
p. 76 / R. Baumgartner, Explorer, p. 90 / Ambassade du Canada,
division tourisme, p. 84.